TODA ANSIEDADE MERECE UM ABRAÇO

Alexandre Coimbra Amaral

TODA ANSIEDADE MERECE UM ABRAÇO

PAIDÓS

Copyright © Alexandre Coimbra Amaral, 2023
Copyright © Editora Planeta do Brasil, 2023
Todos os direitos reservados.

Preparação: Ligia Alves
Revisão: Caroline Silva e Valquíria Matiolli
Diagramação e projeto gráfico: Vivian Oliveira
Capa: Filipa Damião Pinto | Foresti Design

Dados Internacionais de Catalogação na Publicação (CIP)
Angélica Ilacqua CRB-8/7057

Amaral, Alexandre Coimbra
  Toda ansiedade merece um abraço / Alexandre Coimbra Amaral. - São Paulo: Planeta do Brasil, 2023.
  192 p.

  ISBN 978-85-422-2284-5

  1. Ansiedade I. Título

  23-3331   CDD 158.1

Índice para catálogo sistemático:
1. Ansiedade

Ao escolher este livro, você está apoiando o manejo responsável das florestas do mundo e outras fontes controladas

2025
Todos os direitos desta edição reservados à
Editora Planeta do Brasil Ltda.
Rua Bela Cintra, 986 – 4º andar
01415-002 – Consolação - São Paulo-SP
www.planetadelivros.com.br
faleconosco@editoraplaneta.com.br

Para Dany,
que desde o primeiro dia
me convida a sentir o sabor da chuva
com a pele inteira, para pisar no leito do rio
como quem nasce naquele instante,
para sentir o pôr do sol como um pássaro
que aceita guardar o dia no silêncio do seu canto.
Além de ser o meu amor desta vida inteira,
a companheira inabalável e
a mãe dos nossos três filhos,
você é minha maior mestra
em presentificar a vida.

Obrigado por ser o maior abraço
de todas as minhas ansiedades.

Sumário

Prefácio, por Marcio Krauss 9

Apresentação
Entre e fique à vontade,
este livro quer conversar com você! 15

Introdução
O abraço é a melodia da vida que se faz junto 21

1. A ansiedade que você sente
é típica de nosso tempo 26

2. A ansiedade é uma emoção,
muitas vezes julgada pelos outros 34

3. A ansiedade que faz sofrer é
uma vivência muito desagradável 42

4. Ansiedade não é uma coisa
que deveria envergonhar você 52

5. Existe ansiedade boa e ansiedade ruim? 60

6. Medo e ansiedade não são sinônimos 68

7. Como você fica quando não está
sob o efeito da ansiedade? 76

8. A ansiedades nos desconecta do melhor de nós 84

9. A ansiedade nos leva para o futuro. O que perdemos com isso? 92

10. Depois do WhatsApp, a ansiedade se tornou o novo parâmetro que define o que é urgência 100

11. As redes sociais estão produzindo mais ansiedade em todos nós 108

12. Seus cinco sentidos podem aliviar a ansiedade 116

13. A ansiedade social e a "síndrome do impostor" 124

14. A inquietação ansiosa e o medo de não ser uma pessoa "equilibrada" 132

15. Ansiedade é uma emoção contagiosa, mas não perigosa 140

16. Eu tenho a tendência de julgar a ansiedade de quem é diferente de mim? 148

17. Quando a ansiedade vira pânico 156

18. Por um manifesto do prazer 164

Palavras nada ansiosas para terminar esta conversa (ou aquilo que poderia se chamar de "epílogo") 173

Agradecimentos 179
Referências Bibliográficas 183

Prefácio

Falar sobre ansiedade não é uma tarefa fácil, mas é uma conversa que precisamos ter. Como alguém que já experimentou a ansiedade em primeira mão, sei o quão angustiante e debilitante ela pode ser. A ansiedade se manifesta de diversas formas, desde a sensação de aperto no peito até a dificuldade de respirar. Ela pode até mesmo nos levar a comportamentos obsessivo-compulsivos, a fim de aliviar a tensão constante.

Embora muitos de nós possamos ter experimentado a ansiedade em algum momento de nossas vidas, ela ainda é frequentemente negligenciada ou vista como algo trivial. Isso pode tornar a busca por ajuda e compreensão ainda mais difícil. É por isso que este livro é tão importante. Nele, encontramos uma discussão franca e honesta sobre o que é a ansiedade, como ela se manifesta em nossas vidas e, o mais importante, como podemos lidar com ela de maneira saudável.

Este livro, entre outras coisas, nos leva a questionar a forma como vivemos nossas vidas hoje em dia, sempre em busca de mais, mais rápido e melhor. A cultura contemporânea de produtividade e sucesso pode ser uma das principais causas da ansiedade, que muitas vezes é resultado da pressão que colocamos em nós mesmos para sermos perfeitos, tentando alcançar metas inalcançáveis. Ao examinarmos essas questões de frente, podemos começar a mudar a maneira como pensamos sobre nossas vidas e como vivemos, à procura de um equilíbrio saudável.

Encarar nossas questões psicológicas é fundamental para que possamos desfrutar de alguma qualidade de vida. Afinal, nossos pensamentos e emoções são tão importantes quanto nossa saúde física. No entanto, para que essas abordagens sejam eficazes, precisamos estar dispostos a enfrentar nossas questões psicológicas. Devemos estar abertos a explorar nossas emoções, a entender nossos pensamentos e a reconhecer nossas limitações. É por isso que a discussão franca sobre saúde mental é tão essencial. Quando contamos com uma visão profissional e científica, podemos entender melhor as questões que enfrentamos e encontrar as melhores soluções para lidar com elas.

Quando eu descobri que sofria de transtorno de ansiedade generalizada, senti uma mistura de alívio e medo. Por um lado, finalmente entendi a razão de tantos dos meus sintomas e preocupações constantes. Por outro, percebi que estava enfrentando uma condição que afeta milhões de pessoas em todo o mundo e que pode ser difícil de controlar. Durante muito tempo, eu me senti sozinho nessa luta. Como se as pessoas ao meu redor não entendessem aquilo pelo qual eu estava passando. Mas aprendi que, para superar a ansiedade, é fundamental contar com o amor, a empatia e a compreensão das pessoas que nos cercam. Reconhecer que precisamos de ajuda e suporte pode ser difícil, mas é um passo importante para lidar com a ansiedade. Não podemos nos curar sozinhos, e não precisamos. Contar com a ajuda de amigos, familiares e profissionais de saúde pode fazer toda a diferença. Quando compartilhamos nossas preocupações e medos com aqueles que amamos, percebemos que não estamos sozinhos e que outras pessoas passaram por situações semelhantes.

Foi num grande evento no Rio de Janeiro que conheci Alexandre Coimbra Amaral. Ambos seríamos palestrantes em uma discussão sobre saúde mental e, ao conversarmos, parecia que já nos conhecíamos há muito tempo. Ali nascia uma grande e bela amizade. Alexandre sempre foi pura generosidade e, desde então, eu tive apoio e abrigo em momentos de graves crises e problemas pessoais. Ele sempre se mostrou preocupado e interessado no meu bem-estar, uma qualidade rara de se encontrar em alguém. Com Alexandre, eu não ganhei apenas um amigo, ganhei um irmão.

Em outra ocasião, em São Paulo, durante a gravação de um bate-papo filosófico para a televisão, tive a oportunidade de desabafar sobre alguns dilemas e crises que estavam me atormentando. Alexandre parou tudo, se afastou comigo e me ouviu com atenção, dando um ombro, um abraço e mostrando que meu bem-estar é prioridade. É nessas horas que percebemos o valor de uma amizade verdadeira e o quanto é importante ter alguém que se importa conosco e nos ajuda a atravessar as tempestades.

Alexandre é uma pessoa incrível, um amigo leal e um ser humano excepcional. Eu sou muito grato por ter sua amizade e a oportunidade de compartilhar com ele momentos tão especiais. É com amigos como ele que podemos enfrentar os desafios da vida e superar as dificuldades com mais facilidade. Como já disse: Alexandre não é apenas um amigo, é um irmão de alma e coração.

Aqui, você encontrará uma escrita honesta, humana, lúcida e sensível, que não tem medo de expor a realidade nua e crua da ansiedade. Mas, ao mesmo tempo, você descobrirá que não está sozinho em sua jornada. Este livro é um lembrete gentil de que todos nós estamos sujeitos a momentos de ansiedade e que essa é uma emoção natural e necessária. Este livro é um convite para que você mergulhe em uma jornada emocionante e desafiadora. Ao contrário de muitas publicações sobre ansiedade, esta não promete uma solução mágica para todos os seus problemas, nem tenta minimizar o impacto da ansiedade em nossas vidas. Pelo contrário, este livro é um convite para que você se permita ser humano, com todas as suas dificuldades e limitações.

Como disse o filósofo alemão Johann Goethe: "Tudo nos falta quando faltamos a nós mesmos". E é justamente essa jornada de autoconhecimento e autodescoberta que este livro propõe. Ao ler estas páginas, senti-me imediatamente acolhido pelo tom humano e sensível de Alexandre Coimbra. É como se ele estivesse conversando diretamente comigo, abrindo seu coração e sua sabedoria em um gesto generoso, compartilhando sua experiência. Sua escrita é uma verdadeira mensagem de respeito e empatia para todos aqueles que lutam com a ansiedade e suas consequências. Este livro é um convite para uma jornada transformadora de autoconhecimento e aceitação, e estou certo de que será uma leitura inspiradora para você.

Marcio Krauss
professor, mestre em filosofia e
autor de *Penso, logo insisto*

Apresentação
Entre e fique à vontade, este livro quer conversar com você!

Eu só escrevo livros que queiram conversar – mas tanto, tanto, que minha estreia foi escrevendo cartas.[1] Não concebo a literatura como a entrega pronta de um conteúdo, mas de um fio que cada leitora e leitor toma e alinha com sua própria história, fazendo desse cerzido um dedal de prosa. Em tudo o que faço, através da linguagem oral ou da escrita, há o interesse de escutar o outro como parte de uma interlocução benéfica a todos os envolvidos.

Muito prazer, sou Alexandre Coimbra Amaral, psicólogo, escritor, podcaster, artista de muitas vontades, casado com Dany, pai de Luã, Ravi e Gael, três homens

---

1. Refiro-me ao livro *Cartas de um terapeuta para seus momentos de crise*, que inaugurou este selo Paidós da Editora Planeta, e que traz sentimentos humanos escrevendo cartas, como se fossem entidades vivas a dialogar com seus destinatários-leitores. A partir dessa ideia do intercâmbio narrativo através das cartas, comecei, em 2022, um podcast chamado *Cartas de um terapeuta*, em que recebo cartas com histórias de sofrimento e faço dos meus comentários o conteúdo de cada episódio.

que me convidam ao renascimento de mim a cada dia, em parceria com essa mulher cuja forma de perceber a vida me faz a cada dia uma pessoa mais viva.

Sou encantado pelo ato de viver e navego pelos dias recebendo com a mesma intensidade os raios de sol dos momentos mais agradáveis e as nuvens cinzentas dos maiores transtornos. Não sou um psicólogo que quer parecer sobre-humano e impassível ou que leva tudo na flauta. Exatamente por ser intenso, sou hipersensível, conecto-me à existência com grande capacidade de perceber sofrimentos e ser impactado por eles. Não sou, portanto, imparcial em nada, e desacredito na neutralidade de qualquer ato científico de minha profissão. Vivo como uma pessoa que se importa com o que é coletivo, com o que é verdade em um tempo tão dolorosamente injusto com tanta gente.

Faço das minhas profissões uma forma de direcionar minhas indignações, transformando a angústia em um lugar criativo. Sou amante da arte, sobretudo das artes cênicas, da literatura e da música. Você vai perceber que meus textos estão recheados de citações dessas searas, porque a arte muitas vezes comunica coisas que a ciência tenta, mas jamais consegue com tamanha eficácia simbólica.

Eu levei trinta anos entre a decisão de trabalhar com a escrita, na adolescência, e a efetiva publicação do primeiro livro, aos 46 anos. Tenho em mim, portanto, inúmeras palavras aguardando para serem digitadas e impressas em folhas de todas as gramaturas. Este livro é um pedaço desse desejo de fazer da palavra um documento impresso que te chame para um encontro comigo e consigo.

A mesa de canto que ampara nossas duas cadeiras neste chão de varanda é coberta com uma toalha de renda, ofertada por alguma de nossas avós, e tem café (muito), pão de queijo ou bolo quente, esperando com um sorriso pela sua predileção. Quero te convidar para um livro sobre ansiedade que, pelo menos no formato, tente te deixar à vontade, em estado de leveza e sentindo que pode ser útil virar a próxima página. Porque eu já posso te adiantar que quero sua parceria para construirmos um mundo em que a ansiedade tenha que viver a dureza de coexistir com a delícia do encontro genuíno. A ansiedade, essa danada, que vive incomodando nossos momentos presentes e nos chamando para habitar futuros catastróficos, precisa e merece aprender a lidar com o presente, não somente um presente meditativo solitário, mas um presente de mãos dadas com os afetos que pacificam a alma. A ansiedade em mim, em você, em nós, é um pedido de abraço na alma, no corpo, no coração e em cada célula que se angustia.

Cada capítulo deste livro aqui será uma estrada que você poderá trilhar numa conversa consigo ou com qualquer pessoa sobre a ansiedade. Você poderá ler os capítulos na ordem que melhor lhe convier, e eu confio na sua autonomia de decidir quando e como essa leitura poderá acontecer. Não há sentido em eu definir o rumo de qualquer conversa; apenas quero contribuir com algumas considerações sobre este fenômeno que você pode receber nas mãos ou deixar escorrer por entre os dedos. Você tem intimidade com o que a ansiedade faz com seus dias, e isso lhe confere a autoridade para ler este livro com o tom da sua necessidade, curiosidade ou vontade.

Posso adiantar que as conversas aqui têm o potencial de fazer pensar, sentir e querer agir, não necessariamente nessa ordem. Quando acontecer de a leitura te dar margem para as palavras saírem, não as reprima jamais: leve-as para visitar alguém em quem você confie – seja essa pessoa um terapeuta, um amigo ou um familiar. A palavra tem a capacidade de envolver a indefinição em uma moldura. Enquanto falamos, vamos nos dando conta de sensações que talvez nem soubéssemos que já estavam tão prontas para serem nomeadas. E a ansiedade é tão apressada em retirar-nos da boa palavra que já é um ato revolucionário podermos falar dela com calma, leveza e delicadeza. Por isso, este livro é um convite para que você, diante de qualquer percepção sobre sua ansiedade, fale, se expresse com toda a sua humanidade, para quem você considera um interlocutor sensível para escutar o canto da sua angústia.

Desejo que sua ansiedade se acalme minimamente durante a leitura das próximas páginas. E que você possa se sentir representado aqui. Desejo que você se sinta identificado com pelo menos algumas das ideias que lhe trago sobre a ansiedade, essa flecha fervente que transpassa o sossego tão difícil de se eternizar por mais de um momento. No final, você pode me escrever, se quiser, para continuar a conversa. Eu vou adorar receber sua carta, como todas as que chegam a mim. Poucos momentos me parecem mais sagrados do que receber uma história de alguém.[2] É em nome disso, também, que escrevo este livro: porque quero imaginar que você, diante da ansiedade, também merece a sagrada experiência da brisa da vida entrando coração adentro.

Um beijo para quem for de beijo, um abraço para quem for de abraço e uma boa leitura! Até sempre!

Com amor,
Xande

---

[2]. Assim como no podcast *Cartas de um terapeuta*, em que eu recebo histórias de vida das pessoas e as comento nos episódios semanais, você pode me escrever a qualquer momento da leitura deste livro, ou depois de terminá-la. Escreva para o seguinte e-mail: alexandrecoimbraamaral@gmail.com.

Introdução

O abraço é a melodia da vida que se faz junto

Eu me lembro de sorrir, quando adolescente, enquanto minha mãe contava uma história de belos contornos afetivos de meus primeiros anos de vida. Eu estava no jardim de infância – insisto no nome daquela época, para me conectar com a tintura da nostalgia – e meu pai trabalhava lá perto. Quem me buscava era uma prima muito amada, Cláudia, e me levava para sua casa, a uma quadra dali, onde me esperavam meus tios Wilma e Sebastião e os outros filhos deles, Cátia, Cristina e Cássio.

Invariavelmente eu era colocado sentado sobre a enorme mesa de jacarandá da sala de jantar, ovalada e convidativa para uma dezena de pessoas se postarem a conversar. Bastava que eu fosse colocado ali, em cima daquela mesa, para começar a contar as histórias que tinha para compartilhar: brincadeiras, cenas vividas na escola, músicas aprendidas com a professora. Os bebês e crianças pequenas costumam ter essa função na vida das famílias, que é entretê-las com suas anedotas em forma de fofura e delícia, distraindo os adultos de suas angústias e ressentimentos e devolvendo-os ao momento presente. Minha mãe reafirma que eu ficava ali, conversando, olhando para todos, e que aquele padrão de interação realmente se prestava à repetição.

Se aquilo acontecia todo dia, valia mesmo ser dessas histórias recontadas como uma lembrança que merece ser revisitada. Porque havia um tanto de saúde ali naquele encontro entre um bebê e seus familiares queridos. Ao mesmo tempo que quero imaginar que todos saíam daquela conversa um pouco mais leves, eu ia me entendendo como uma pessoa que amava o diálogo da mesma forma que brincar. Inclusive porque, para mim, até hoje, conversar é uma forma de brincar de viver, de estar junto num tanque de areia imprevisível, em que o encontro fará acontecer alguma mágica.

Essa história me veio à memória enquanto eu me preparava para escrever este livro. Eu imaginei que você que me lê pode ter vergonha e vontade, ao mesmo tempo, de conversar sobre a ansiedade que te invade de tempos em tempos. Tenho esse hábito, silencioso, de imaginar como os sofrimentos que realmente nos tiram do eixo são ainda muito pouco abordados entre nós. A ansiedade é um desses sofrimentos – embora comum demais para ser esquecida num canto de quarto. Somos um mundo de ansiosos, e nossa ansiedade vai muito além da ansiedade normal, que é inevitável à vida. Estamos funcionando de uma maneira tão adoecedora para nossa saúde mental que só aumenta o volume do incômodo ansioso. E eu desacredito em vergonha de sofrer.

Eu preciso que você saiba disto aqui sobre mim: ao longo desses anos todos trabalhando como psicólogo, adquiri a convicção de que já basta a dor de sofrer. Não merecemos a vergonha de sofrer como uma dor extra. Você vai entender, ao longo deste livro, por que o título dele começa com "ansiedade" e termina com "abraço". Eu quero ter uma conversa contigo que te alivie um pouco do peso de se sentir em estado ansioso. E quero poder apontar algumas formas de lidarmos com a ansiedade, não só individualmente mas como grupo, como família, como comunidade, como sociedade que pode mudar a qualquer momento o significado que fabrica sobre cada coisa.

Este livro é um convite para você retirar a história da sua ansiedade da caverna da solidão. Porque é mesmo um dos maiores paradoxos contemporâneos o fato de sermos tantos ansiosos neste mundo, a ponto de a ansiedade ser considerada uma das epidemias do século, e no entanto sermos convidados a lidar com ela quase sempre de forma individual. A ansiedade é um sintoma de nosso tempo, como um céu acinzentado que nos prepara chuvas capazes de inundar-nos a todos, quase sem exceção a essa regra cultural. Este livro quer te levar para o lado de fora da sua angústia, pensando em como o mundo à sua volta pode ser alento. E também é uma convocatória a cada uma e um de nós, por mais que estejamos assoberbados com nossas dores internas.

O sofrimento individual jamais impediu o ser humano de ser solidário. As mãos dadas são inclusive uma cena recorrente para quem está vivendo sofrimentos semelhantes. Por isso mesmo é que há de haver mais compaixão, canta o Mestre Gil, e a voz dele se junta à que abre esta conversa com você. Eu quero te imaginar em cima e no centro de uma mesa de jacarandá, chamando para se assentarem as pessoas que fazem sentido para o seu coração agoniado. A ansiedade é um pedido de conexão com aquilo que talvez já tenhamos nos esquecido do que importa para nós – mas que o mundo amoroso à nossa volta, por mais acelerado que seja, tem condição de nos recordar.

Eu desacredito em qualquer tipo de cultura que apague a subjetividade. Isso quer dizer que, sempre que estivermos sendo convidados a perceber que somos uma massa de ansiosos que atuam no mundo do mesmo jeito, estaremos diante de uma mentira fabricada para oprimir o mais precioso que possa existir em nós, que é a singularidade de que somos constituídos. Não existe nenhuma pessoa que sinta a vida exatamente igual à outra, e é na diferença humana que este livro é embasado.

A vida humana é coletiva como a natureza: com elementos diferentes, divergentes e interconectados. A ansiedade é um fenômeno bastante universal, mas que se manifesta em você da forma que só você sabe e sente. Por isso, há elementos nos capítulos a seguir que eu busquei delinear para atender a muitos tipos de funcionamento humano diante da ansiedade. Eu quis pensar em vários abraços, que coubessem parcialmente em muitas histórias. Desejo e espero que você possa se sentir identificado de alguma maneira com este conteúdo; mas, caso isso não aconteça, é natural e esperado, e também parte do que espero abraçar: você e sua autêntica maneira de existir.

A partir destas linhas, deixo minha contribuição à mudança do significado da ansiedade como algo que te expõe e que piora sua imagem no mundo. Eu quero te dar um abraço, aqui neste livro, várias vezes. Porque continuo sendo aquela criança que, em cima da mesa da casa da minha tia, conversa com as pessoas queridas com entusiasmo sobre as coisas da vida. Talvez por compreender, depois de quase três décadas na cadeira do psicólogo escutando pessoas que vêm contar todo tipo de sofrimento, que a vida é mesmo um emaranhado de histórias, afetos, encontros e despedidas. Eu concebo a vida, seus dissabores e seus tratamentos como uma aventura que se faz *junto*. Nós precisamos, sim, de espaços privados para reflexão e silêncio, mas também temos que compartilhar o que nos faz sofrer, fazendo a alquimia do incômodo se transformar em palavra, e a palavra se transformar em encontro que alivia um pedaço da dor.

1.
A ansiedade que você sente é típica de nosso tempo

IMAGINE-SE NUMA ESTRADA ÍNGREME, SUBINDO UMA serra em um automóvel. Você está na direção e está com o coração descompassado. Pudera: há uma neblina espessa que impede toda e qualquer visão. Suas mãos, trêmulas, se atam ao volante de maneira mais rígida, porque você teme perder a direção. Cada segundo parece uma vivência da própria eternidade. O tempo não circula nos ponteiros do relógio na mesma velocidade que o corpo sente. Tudo é urgente, tudo pode resultar em uma catástrofe; a sensação é a de que você tem muito pouco controle sobre o aqui e o agora. Tudo o que você mais quer é que essa neblina passe, que você possa conduzir o veículo até um lugar seguro e consiga descansar dessa agonia que teima em parecer infindável. Os olhos estão arregalados, tentando enxergar qualquer coisa adiante que seja minimamente nítida. As fantasias do que pode vir a acontecer abundam em seu coração, e você sente, pensa e segura o volante com a mesma fissura.

(Essa cena pode ter te gerado gatilhos ansiosos, mas é importante para conversarmos sobre o que você sente demais, e às vezes você chega à palavra com dificuldade. Feche os olhos por um instante, respire e vamos juntos. Este livro é uma conversa honesta e empática; sempre que você se sentir mal, pare e descanse um pouco. As coisas funcionam melhor quando tomamos o possível como parâmetro, e o possível não pode coincidir com o máximo desconforto para você.)

A cena que eu descrevi é uma metáfora do funcionamento ansioso das pessoas em nosso século. A neblina é a ansiedade, que enturvece nossa percepção da realidade e impede que tenhamos acesso a ela de forma a tranquilizar-nos. O destino da estrada em que conduzimos o veículo é o futuro. Você, dirigindo, e o veículo representam o corpo trêmulo, que tenta sair do assombro em que se encontra diante da neblina ansiosa. Volte à descrição do primeiro parágrafo e releia-o, para entender melhor o que estou dizendo aqui.

A ansiedade é uma neblina que nos impede de estar no momento presente de forma minimamente tranquila e que ao mesmo tempo nos leva a imaginar o que de pior pode acontecer conosco no futuro próximo. É o fantasma do imprevisível, do incontrolável, do indecifrável da vida. O futuro pode acontecer logo ali, sem que nada trágico realmente ocorra – mas o que importa é que agora, neste momento presente, nossa sensação é a de que tudo pode desmoronar no segundo seguinte. E, quanto mais tempo passamos obcecados com essa impressão, mais ela vai ganhando ares de verdade. Dentro desse carro e no meio da neblina, o GPS insiste em recalcular rotas que só alimentam o medo.[3]

Essa neblina, que existe independentemente da velocidade do carro, do destino da estrada e de como esteja o nosso coração, é parte deste tempo em que você e eu estamos construindo nossas biografias. A nuvem é uma cultura que nos invade, que nos entorpece os sentidos, que nos ensina a viver de uma determinada maneira porque justamente está em toda parte. Ela tem águas que molham todas as pessoas, que se inundam de seus princípios e de seus mandatos.

Sob essa densa névoa, nossa pele vai aprendendo que para sermos aceitos temos que aumentar a velocidade do carro. Quando ele chega ao seu destino final, há muita gente dizendo que cruzamos um desafio, reconhecendo a força que precisamos imprimir ao nosso desassossego para não perder a tonicidade das mãos ao segurar o volante. Avisam-nos, a todo tempo e em todos os espaços, que, quanto mais rápido chegarmos aos destinos, às metas e aos resultados que contêm o atravessamento das névoas ansiosas, melhores

---

3. Este livro também é sobre amizade. Eu sou um afortunado por ter amigos que me iluminam a existência. Um deles, brilhante em muitos níveis, se chama Marcio Krauss, filósofo dos melhores que você pode encontrar no Instagram como @professorkrauss. Quando concluí a escrita do livro, ele foi convidado a escrever o prefácio que você leu há pouco. Logo no início das teclas preenchendo o meu editor de texto, porém, Marcio tinha sido convidado a ler a descrição dos primeiros parágrafos deste capítulo. Com sua mente amorosa, generosa e fértil, colaborou com este adendo sobre o GPS, deixando tudo ainda mais preciso e belo – como ele faz, costumeiramente, sem o menor esforço.

pessoas e mais adaptados a esse mundo seremos. A ansiedade não é uma vilã da existência; muito pelo contrário, ela é parte da nossa sobrevivência. Mas, da forma como a conhecemos hoje, é um dos males de nosso tempo. Ela existe dessa forma, como uma neblina que nunca cessa, porque há uma força categórica que nos pede pressa, excelência e aceitação de tudo como "natural".

Não, não é natural. É uma construção recente. Há muito pouco tempo o mundo funciona dessa maneira. A ansiedade aparece como o resultado do encontro de um mundo que pede que sejamos acelerados e produtivos ao extremo com nosso medo de não sermos capazes de responder a tantas exigências. Como se as exigências múltiplas de nossas vidas fossem o êmbolo de uma seringa, fazendo pressão sobre o ar ali dentro, que seríamos nós, apavorados ao percebermos que não temos tempo cronológico para realizar tantas tarefas simultaneamente. Por isso, chegamos ao fim de um dia exaustos, irritados, sem tolerância para os encontros e as cenas que justamente poderiam nos fazer despressurizar o peito apertado de agonia.

Assim como sofremos a influência dessa cultura que repete o seu mantra infinitamente, "tenha pressa, ande rápido, está faltando muita coisa e o dia está acabando!", não somos pessoas que estão programadas para necessariamente receber esse comando e acatá-lo fielmente, como um destino sem alternativas. Afinal, eu imagino que, se você está com este livro nas mãos, isso quer dizer que você tem aí dentro uma pergunta,

<<<<

A ansiedade
não é uma vilã
da existência;
muito pelo contrário,
ela é parte da
nossa sobrevivência.
Mas, da forma
como a conhecemos
hoje, é um dos males
de nosso tempo.

>>>>

uma dúvida, um desejo de que as coisas possam ser diferentes – para você, para os seus, para o mundo.

Este livro parte do princípio de que a ansiedade é uma moradora frequente demais de nossas vidas, a ponto de aceitarmos a ideia de que isso é uma coisa que não pode ser alterada. Eu quero ter uma conversa com você sobre como a sua vida, imersa em tudo isso, pode ser transformada para lhe ofertar mais bem-estar, e que você saiba que o problema não é apenas seu, mas de todos os que estamos sujeitos a impregnar a textura da pele com a umidade do sentimento ansioso. Quando questionamos a ansiedade como um mal passível de ser pelo menos diminuído, podemos refletir sobre o fato de que também somos capazes de fazer a diferença para aplacar parte desse mesmo sentimento em todos à nossa volta. Porque você vai entender, também, que o individualismo é parte dos avessos da vida que geram mais ansiedade – e este livro vai na direção contrária.

O pensamento coletivo é uma das formas de transformar os espaços em que vivemos, e, se estamos todos sofrendo com os corações em desalinho, alinharmo-nos em um abraço consciente pode ser parte da saída dessa imensa neblina.

<<<<

Se estamos todos
sofrendo com os
corações em desalinho,
alinharmo-nos
em um abraço
consciente pode
ser parte da saída
dessa imensa neblina.

>>>>

2.
A ansiedade é uma emoção, muitas vezes julgada pelos outros

A PARTE MAIS INEGOCIÁVEL DA CONDIÇÃO HUMANA É ter que se relacionar com o entorno. Não somos ilhas, jamais: mesmo que nos escondamos do mundo, ele vem e nos encontra, através do sentimento de solidão e desconexão de todos os laços que importam. Todos os dias são momentos em que somos flechados, o tempo todo, por experiências que nos atravessam.

Perceba aqui o verbo que estou utilizando: atravessar. Somos atravessados pelas cenas; elas simplesmente acontecem. Isso quer dizer que somos surpreendidos a todo tempo pela forma como as coisas se dão, muito diferentemente de qualquer planejamento ou idealização. O mundo em que queríamos viver é sempre diferente demais daquilo que a mente consegue preconceber. Viver é, portanto, estar num ambiente que muda a todo momento, oferecendo novos elementos com que temos que lidar.

>>>>

Não somos ilhas,
jamais: mesmo
que nos escondamos
do mundo, ele vem e
nos encontra, através
do sentimento de
solidão e desconexão
de todos os laços
que importam.

<<<<

Essas cenas que nos atravessam nunca são neutras. Em todas elas nós somos convidados a colocar adjetivos que as qualifiquem. Mesmo que nem nos dermos conta, estamos fazendo esse movimento de definir o que cada cena significa para nós. Assim, receber uma visita inesperada pode ser, num dia, uma grata surpresa e, em outro, uma vergonha, porque não estávamos preparados para ela e nos sentimos expostos em alguma vulnerabilidade. Escutar "eu te amo", uma das expressões mais sonhadas pelo ser humano, pode ser um idílio ou um desafio, porque pode ser que queiramos num dado instante o afastamento daquela pessoa que se declara amorosamente. Mesmo um filme aclamado pela crítica e por todos os amigos que já assistiram a ele pode ser uma decepção para nós, porque nos faz lembrar especificamente de algo em nossa história que nos causa algum sofrimento.

O que fazemos, intuitivamente, em cada uma dessas experiências? Em primeiro lugar, somos atravessados por elas, e isso acontece *no corpo*. Não existe separação entre mente e corpo, não existe mesmo; ela é apenas didática, e acreditar nessa cisão dificulta ainda mais a percepção do que se vive. Eu te convido a escutar o seu corpo em cada uma dessas cenas, as mais banais, inclusive. Perceba que ele se manifesta, há um movimento interno acontecendo. Veja que você pode perceber um certo frio na barriga, salivação na boca, arrepio, desânimo etc. O que determina a qualidade do que você experimenta na hora é o *significado* que aquela cena tem para você.

O que nos atravessa, portanto, jamais será neutro. Se o filme é bom ou ruim, ele é bom ou ruim dentro do que você – e não o mundo – coloca como parâmetro. Você pode até dizer uma palavra que agrade o mundo nesse sentido, mas sabe que lá no fundo você interpreta aquele filme de outra forma. A todo esse fenômeno de reagir a uma experiência no corpo e que nos convida a algum tipo de comportamento específico, nós damos o nome de *emoção*.

As reações no nosso corpo às emoções são incontroláveis. Eu vou repetir, porque essa ideia é central: não controlamos a maneira como o corpo reage ao que nos acontece. Não controlamos. É impossível controlar a reação do corpo; ela simplesmente vem. Podemos lutar contra ela (por exemplo, respirar para não gritar, calar o choro, dizer que está tudo bem quando ficamos frustrados), mas o corpo traz uma mensagem soberana, que precisa ser escutada para que lidemos com ela. Lidamos com as emoções, o que é muito diferente de controlá-las. Sabe por que isso é tão importante? Porque a ansiedade é uma emoção. E, assim sendo, quando ela chega, ela chega chegando. Não há negociação, não há como dizer para a ansiedade, antes de ela chegar: "Dá pra você não aparecer agora, porque eu preciso ter absoluta tranquilidade aqui?". As emoções não nos escutam, elas não se submetem aos nossos desejos. Elas são uma espécie de dado da vida, colocado ali simplesmente na mesa, na mesa cotidiana dos dias, para que tomemos decisões o tempo todo sobre como lidar com cada uma delas.

Pois bem, a ansiedade é uma emoção. Uma emoção incontrolável, como todas as outras, mas, infelizmente, num mundo como o nosso, é sempre julgada, como se existisse um mecanismo interno que pudéssemos acessar para evitar que ela acontecesse. O julgamento sobre a ansiedade piora, e muito, a sua vivência. Este livro inteiro está baseado na percepção de que tudo é coletivo, todos os significados que damos às experiências que vivemos são construídos no meio das interações que vivemos. Portanto, viver com a ansiedade não é um aspecto que sempre foi vivido dessa maneira. Se vivemos num mundo que julga a experiência ansiosa, isso tem um sentido, que pode ser desfeito a qualquer momento histórico – e é parte do que eu gostaria de te convidar a fazer, comigo e com cada pessoa que lê este livro.

As pessoas ansiosas definitivamente recebem o julgamento pela sua ansiedade de diversas formas, todas elas agressivas e sentidas como uma piora da situação, que sempre será desconfortável.

"Mas como assim isso te causa tudo isso?", "Você é maior do que isso, você é guerreira, resiliente, não pode ficar desse jeito", "Calma, você não pode ficar assim agora", "Que absurdo você se esconder para não conversar com seu amiguinho, ele só quer brincar com você", "Mas, meu querido, é só um trabalhinho de escola, o que há de tão difícil em aparecer lá na frente e falar o que você sabe?". Eu poderia passar um livro inteiro somente enumerando falas como essas. Perceba que algumas nem parecem julgamentos, mas são: em todas elas, em algum nível, há um subtexto que diz: "você não deveria viver a

>>>>

Infelizmente,
num mundo como o
nosso, [a ansiedade]
é sempre julgada,
como se existisse um
mecanismo interno
que pudéssemos
acessar para evitar
que ela acontecesse.

<<<<

cena dessa forma". O que é uma ideia contrária à que eu acabei de te contar: as emoções são incontroláveis. Eu gostaria que isso fosse um outdoor em cada esquina do mundo, em cada corredor das casas, das escolas e dos ambientes de trabalho. Quem sabe assim, em vez de dizer essas frases julgadoras, as pessoas passassem a perguntar: "Como eu posso te ajudar a lidar com isso?".

Este livro quer apoiar a construção de um mundo que, imediatamente, faça esse tipo de pergunta para uma pessoa que está sofrendo com ansiedade. Precisamos alterar isso, urgentemente, porque não adianta que a saúde mental seja foco de todos os lugares em que vivemos, como uma pedagogia ("o que é depressão?", "como lidar com uma crise de pânico?", "como lidar com as perdas e os lutos?"), se não fizermos, ao mesmo tempo, uma transformação honesta e profunda na maneira de acolher quem está sofrendo. Porque, assim como as emoções, o sofrimento que algumas delas provocam é uma flecha que atravessa o coração do nosso tão sonhado equilíbrio.

3.
A ansiedade que faz sofrer é uma vivência muito desagradável

SE A ANSIEDADE FOSSE UMA VISITANTE, SERIA DAQUELE tipo que receberia de nós uma plaquinha na porta: "Mantenha distância". Ninguém gosta dessa visita, seja ela esperada ou inesperada. A ansiedade é quase sempre uma emoção incômoda, que provoca desprazer e que em alguns pode até chegar a aborrecer, junto com a preocupação que ela naturalmente gera. Mesmo na ansiedade boa, e você poderá compreender melhor no próximo capítulo o que isso significa, há uma sensação ruim. Fica perceptível para você que algo não está em seu melhor lugar; que algo no momento, na vida, no que ainda poderá acontecer dela, não pode continuar da forma que está.

A ansiedade incomoda na sua característica desprazerosa porque ela pode atrapalhar um momento que poderia ser de sossego. Nem precisa ser uma ansiedade grave, apenas a vontade legítima de passar um sábado com aqueles que nos fazem bem sem fazer nada, como nossa saudosa Rita Lee nos ensinou em "Mania de você", e lá vêm as manifestações todas no corpo, nos pensamentos e na vontade de fazer coisas para evitar que o pior aconteça. A ansiedade é uma visitante que atrapalha a festa, uma penetra exigente, que chega causando e que exige que tomemos medidas urgentes para lidar com ela. •

Todas as vezes que temos que lidar com emoções desagradáveis, somos chamados a um aprendizado contínuo, que marca toda a nossa vida: a tolerância à frustração. Frustrar-se é entender, depois de sentir muita coisa, que a experiência real foi muito diferente da expectativa. E isso é muito mais do que um meme, que pode inclusive passar a impressão de ser uma aprendizagem simples; e não é mesmo. Aceitar, a cada momento, que aquilo que sonhamos, que idealizamos, que programamos em nossos corações e cabeças para acontecer não terá a marca do nosso controle pode ser avassalador. Porque isso tem a ver com o tamanho do sonho, com a envergadura da vontade, com o tanto de vida que estava em jogo naquele momento.

Algumas frustrações podem ser tão dolorosas que nos custam anos de elaboração. E tudo bem, é assim mesmo, não há nada patológico em tomar muito tempo para aceitar duros nocautes. Mas este livro quer falar sobretudo das pequenas frustrações, das médias ansiedades, dos movimentos desagradáveis com que temos que lidar a todo momento. Esses são os instantes em que recebemos um convite urgente da vida para entender nossa falência em controlar as variáveis do existir. Os momentos desagradáveis são sempre assim: queríamos sol, chegam trovões; do nada no céu aparecem nuvens carregadas e pensamentos que podem parecer inclusive apocalípticos.

A pergunta do milhão parece ser, então: como aprendemos a lidar, progressivamente, com emoções desagradáveis? Como evitar que a chegada dessas experiências me deixe tão vulnerável? Perceba que nessa pergunta há um tanto de dilemas que são parte de como temos vivido. Por que será que chegamos a perguntar, com tanta angústia, sobre uma possível forma de resolver aquilo que é incômodo? Preste atenção nisso aqui, porque é fundamental que você compreenda que estamos, sim, diante de um problemão, que não é a emoção desagradável, mas como o mundo te obriga a lidar com ela rapidamente, ou a mascará-la, ou a fingir que nada está acontecendo, *para você continuar em movimento, produzindo, prosperando*. Isso é um equívoco sem tamanho, que infelizmente faz parte de muitos dos espaços que você provavelmente habita. Como se não bastasse você ter que lidar com uma emoção desagradável (e incontrolável, como todas as emoções), terá que neutralizar sua passagem e seus efeitos rapidamente, para não tirar a rotina do trilho esperado, que é o trem-bala da produtividade, da aceleração e da resiliência que tudo resolve como se fôssemos sobre-humanos.[4]

---

4. A palavra resiliência tem sido utilizada em muitos contextos em sua concepção correta, que é a capacidade que temos, sim, de fazer do sofrimento uma jornada de aprendizagem. Mas transformá-la em uma obrigação de retornar à paz e ao sossego produtivos diante de uma emoção mobilizadora é uma deturpação do conceito. Os resilientes não são máquinas; são humanos que sofrem,

Então, aprender a lidar com tudo o que é desagradável começa com o direito de ter tempo para isso: um tempo menos contado, menos "anda logo". Tudo o que nos incomoda é um fogo que arde, cuja chama não se apaga com palavras fáceis ou fingimentos solenes. Precisamos respirar, pedir ajuda, chorar à vontade, reclamar um pouco se for a vontade mais soberana, ficar só ou em silêncio. Vamos sentindo o ardor do desassossego e entendendo quais são os mecanismos que temos para lidar com ele. Pense numa criança que precisa viver a agonia de receber uma vacina: o medo, a dor da picada e a que se segue são inevitáveis. Ela pode ser deixada à revelia, sem apoio, o que é uma forma de negligência nossa, porque todas merecem ser escutadas em todas as fases entre o "é preciso tomar vacina, sim" até o "mas está doendo muito!".

Escutar é fazer companhia. Quando estamos ali, vendo a criança viver aquilo tudo, estamos dizendo com o olhar amoroso, com o toque suave nas mãos, com o cafuné, com a voz carinhosa: "É difícil mesmo, é desagradável, como posso te ajudar a passar por isso?". Não temos o poder de evitar que ela viva o que é indesejável, mas ela sempre se recordará da beleza da conexão, da proximidade e da intimidade entre vocês. Assim como uma criança merece receber de nós o apoio respeitoso para viver uma experiência agoniante, pessoas de qualquer idade podem fazer o mesmo umas com as outras.

---

choram, têm medo, ansiedade, ira, descontrole, metem os pés pelas mãos. A resiliência é um fenômeno complexo demais para ficar aqui num só parágrafo; ela merece um livro inteiro. Mas fique com esta ideia: não permita que ninguém julgue você como pouco resiliente porque você assumiu que não ficou bem com a passagem de uma emoção desagradável.

Tudo o que nos incomoda é um fogo que arde, cuja chama não se apaga com palavras fáceis ou fingimentos solenes. Precisamos respirar, pedir ajuda, chorar à vontade, reclamar um pouco se for a vontade mais soberana, ficar só ou em silêncio.

Quanto mais somos respeitados em nossos momentos difíceis, mais vamos ganhando experiência pessoal e coletiva para passar por esses e outros mais desafiadores. Aprender a lidar com emoções desagradáveis é ofício de uma vida inteira, mas parece que crescemos e somos tomados por uma norma falsa que diz que esses momentos não deveriam nos abater dessa forma, que temos que resolvê-los rapidamente, e que é melhor não falar nisso para focar no positivo.

É todo o contrário: aprendemos a lidar com o que nos incomoda assumindo que essa é uma dor, falando dela e, quem sabe, escutando coisas boas nas conversas que temos. Qualquer silenciamento da voz de quem vive algo desagradável é mal-vindo. Perceba, a partir daqui, os momentos em que você vive emoções desse tipo e como as pessoas à sua volta reagem. Pense em conversas boas com essas pessoas, para dizer-lhes que você tem direito a ter tempo para lidar com o que é novo, com o que é angustiante, com o que te dá medo, com o que te dá muita raiva, com o que te desespera, com o que te deixa sem reação imediata, com o que te descompõe. Você também pode ser a escuta respeitosa daqueles que estão à sua volta, fazendo um círculo virtuoso, em que o clima emocional vai ficando mais leve diante de momentos difíceis.

Assumamos que merecemos ser mais compreendidos na hora em que tudo se sombreia, quando a perspectiva parece ser pior, quando sofremos repentinamente um desencontro com aquilo que poderia ter sido. Há o tempo de se emocionar, o tempo de entender o que isso significa, o tempo de agir – não necessariamente

«««

Aprender a lidar com emoções desagradáveis é ofício de uma vida inteira.

»»»

nessa ordem, podendo acontecer inclusive quase simultaneamente. O tempo que precisa acabar, entre nós, é o tempo que num instante se presta a julgar, a condenar, a ridicularizar quem sofre. Esse tempo pode ser trocado pelo tempo do respeito. É nessa transição que eu acredito, é nela que trabalho, chamando de "tempo da delicadeza", expressão que o Mestre Chico Buarque de Hollanda trouxe definitivamente para nós, em "Todo sentimento". Aprendemos a lidar com emoções desagradáveis sustentando cada vez mais o tempo da delicadeza. É nesse tempo que acontece o real fortalecimento. Porque fortes são os que assumem que se emocionam, os que caem e os que recebem a mão calorosa na hora da picada indesejável da ansiedade.

<<<<

Há o tempo de se emocionar, o tempo de entender o que isso significa, o tempo de agir – não necessariamente nessa ordem, podendo acontecer inclusive quase simultaneamente.

>>>>

4.
Ansiedade
não é uma coisa
que deveria
envergonhar você

A ANSIEDADE É UM FENÔMENO COMPOSTO DE SINAIS evidentes – as pessoas à sua volta podem percebê-la se manifestando. Nesse momento, a ansiedade passa a ser uma mensagem que, mesmo que você não queira emitir, chega àqueles que estão por perto. E ninguém controla a maneira como o outro recebe qualquer mensagem que mandamos, seja ela oral ou escrita, através da voz falada ou do corpo. Uma vez que o dito está dito, ele já faz parte do mundo.

Essa sensação pode ser muito angustiante para quem se sente vulnerável diante da ansiedade. Ela escancara um comportamento que tem um significado que está impresso na cultura, que já circula ali antes de você aparecer. Na vida, os significados das coisas que vivemos vão sendo feitos e refeitos com o tempo – para melhor ou para pior, nem sempre o caminho é de melhoria e leveza. Até meados do século passado, a separação conjugal era considerada moralmente condenável, e as pessoas (sobretudo mulheres) que ousavam seguir com essa decisão recebiam um castigo social de julgamento, preconceito e até exclusão. "Não brinque com essa criança, ela é filha de uma mãe separada!" era uma frase típica da ignorância daquela época. Melhoramos muito como sociedade, e tantas transformações nos trouxeram a um momento de liberdade para decidir até quando vale ficar num relacionamento afetivo.

Há muito tempo uma cultura como a nossa tem o hábito de estigmatizar quem sofre de qualquer condição que fuja do que chamamos de "equilíbrio". Confesso que nunca consegui comprar essa ideia, mesmo antes de ser psicólogo. Sempre imaginei a pessoa equilibrada como um caminhante circense numa corda bamba, bambíssima, que separasse o mundo da normalidade do mundo da loucura. Ser uma pessoa equilibrada parece sempre ser uma exigência hercúlea, que faz suscitar mais e mais fantasmas sobre como deve ser a vida. A obsessividade pelo equilíbrio pode roubar um tanto de espontaneidade, pode levar embora um momento lindo de criatividade, pode retirar um tanto de cores quentes da existência e deixá-la numa triste paleta de tons pastel. Cazuza dizia que ele queria a sorte de um amor tranquilo, com sabor de fruta mordida. Acho mais honesto admitirmos que queremos um pouco de cada lado, sem a menor certeza do que seja o tal ponto de equilíbrio, inclusive porque ele muda o tempo todo. Prefiro acreditar que queremos ser ioga e carnaval, que temos o direito de ser paciência e fúria, assumindo sempre o efeito de cada postura que temos.

<<<<

Ser uma pessoa equilibrada parece sempre ser uma exigência hercúlea, que faz suscitar mais e mais fantasmas sobre como deve ser a vida.

>>>>

Eu quero te convidar para se imaginar sentado na corda bamba do equilíbrio, sustentando no alto os pratos que dizem que você deve deixar intactos todos os dias. Você sabe que os pratos caem; às vezes, todos de uma vez. Olhe para o lado: todas as pessoas que você conhece estão vivendo o mesmo que você. Na mesma condição. A vida real não é feita de equilibristas suaves tomando um sorvete de chocolate enquanto caminham com pratos na cabeça. Eu, você, todos nós, estamos sentados (porque estamos exaustos) com medo, culpa, preocupação, amor, esperança e desânimo, certos de que não estamos dando conta da vida. Em uma palavra, os pratos que caem são como a ansiedade, perceptível e facilmente julgável. Ela nos causa vergonha demais, mas não deveria. Ela ainda precisa ser escondida, mas isso só piora nossa situação.

Temos vergonha porque sentimos que descemos de nível na hierarquia do reconhecimento social todas as vezes que assumimos que estamos ansiosos. É como se estivéssemos assinando o próprio atestado de incompetência para viver o equilíbrio da adultez. Isso não é uma flecha apontada exclusivamente para você. Há séculos, tudo o que se distancia da imagem do equilíbrio recebe um nome assustador: loucura. Esse é um dos maiores medos humanos, ainda hoje: não queremos estar à margem do mundo, perdendo a legitimidade da nossa voz. Perceba que temos o péssimo hábito de chamar criminosos de loucos, ou de praticar uma violência de gênero quando desqualificamos mulheres e lhes dizemos: "Você está louca!". A loucura como um tipo de

<<<<

Eu, você, todos nós, estamos sentados (porque estamos exaustos) com medo, culpa, preocupação, amor, esperança e desânimo, certos de que não estamos dando conta da vida.

>>>>

existência que deve ser evitada é parte das mazelas de nosso mundo. Ninguém quer ser visto como louco. E isso tem muito a ver com a vergonha de sentir-se percebido como um ansioso.

Ansiedade não é loucura, loucura não é demérito, loucura é parte de nós, é algo que pode acontecer em nossas fases mais áridas. A dureza da vida pode enlouquecer, é verdade, mas, de uma maneira muito mais persistente, ela provoca uma multidão de pessoas ansiosas. Eu prefiro acreditar que a loucura do nosso tempo é uma panela de pressão sobre o equilíbrio do qual poderíamos nos aproximar mais. "Longa é a tarde, longa é a vida, de tristes flores, longa ferida", canta Tom Jobim. Vale mais uma vida em que possamos assumir que precisamos de apoio e que não há ninguém a salvo do céu cultural que nos desprotege. No final, estamos caminhando sobre os cacos dos pratos de todos os oito bilhões de equilibristas, ansiosos porque suas cordas bambas não lhes trouxeram o tão sonhado equilíbrio.

<<<<

No final, estamos caminhando sobre os cacos dos pratos de todos os oito bilhões de equilibristas, ansiosos porque suas cordas bambas não lhes trouxeram o tão sonhado equilíbrio.

>>>>

5.
Existe ansiedade boa e ansiedade ruim?

VOCÊ JÁ PERCEBEU: ESTE LIVRO NÃO É UM MANUAL diagnóstico que mostra as diferenças entre os quadros mais comuns e os mais graves de ansiedade. Não quero trazer as nomenclaturas para cá, porque diagnóstico é uma coisa muito séria. Somos uma cultura que tem o mau hábito do autodiagnóstico, o que sempre significa o risco de você colocar o nome errado no sintoma que está te incomodando. Este livro incentiva a sua ida a qualquer tipo de apoio profissional que esteja próximo a você – uma consulta no SUS, num posto de saúde, num CAPS, com um médico de família, com alguém da psicologia ou psiquiatria. Esses profissionais podem conversar com você sobre o que você sente e oferecer algumas hipóteses diagnósticas para o que você vive. Nem sempre o diagnóstico chega na primeira consulta, porque somos muito mais complexos do que a história que conseguimos contar de nossas dores.

E a ansiedade pode ser uma parte de muitas outras questões de saúde mental. Afinal, ela é uma emoção no corpo sempre apontada para o futuro incerto. Palavras como medo, imprevisibilidade, incontrolabilidade e incerteza podem ser cenários para a eclosão de manifestações da ansiedade. O que é fato é que ela é frequentemente desagradável. Não existe muita ansiedade que gere bem-estar; ela é quase sempre incômoda e chega tocando nosso corpo com seus espinhos feitos de pura agonia. É interessante pensarmos que algo tão comum em nossa existência, que nos acompanha em tantos momentos de todas as fases do ciclo de vida, seja sempre desagradável. Um visitante conhecido, mas que ainda assim quase nunca deixa de causar estranheza. Um fenômeno íntimo que nos ensina, também, a lidar com tudo o que a vida nos entrega de desconforto.

Porque, se é desagradável e precisa ser enfrentado, o tempo em que nos sentimos ansiosos vai ensinando como ela chega, como ela se ancora no corpo e nos faz senti-la em demasia. Aos poucos vamos entendendo seus percursos, sem que, no entanto, consigamos controlá-la – emoções não são entidades controláveis; no máximo damos um direcionamento ao que elas nos provocam. A ansiedade é uma emoção que mira o futuro que se vê tenebroso. Não viveríamos sem ansiedade, e isso é tão intrigante quanto real: por causa dela, somos colocados em alerta diante das situações que podem representar algum perigo. Caso não tivéssemos o auxílio da ansiedade, passaríamos despercebidos por

<<<<

É interessante pensarmos que algo tão comum em nossa existência, que nos acompanha em tantos momentos de todas as fases do ciclo de vida, seja sempre desagradável. Um fenômeno íntimo que nos ensina, também, a lidar com tudo o que a vida nos entrega de desconforto.

>>>>

vários riscos importantes. Por isso ela é de enorme valia, porque tem uma função que é adaptativa.

Você pode já ter escutado sobre a "ansiedade boa", ou "normal". Ela funciona como um motor que impulsiona os enfrentamentos mais básicos do cotidiano. O despertador toca, colocamos dez minutinhos de soneca, e do nada caímos no sono e nem vimos quem desligou o alarme. Quando despertamos, vemos que estamos atrasados para o primeiro compromisso do dia. O coração dispara em descompasso, podemos sentir tensão muscular, aperto no peito, tremores, sudorese, respiração ofegante. Nem parece que estávamos dormindo, supostamente relaxados e regenerando o corpo para uma nova jornada completa. A ansiedade vem, chega e entorpece tudo com o seu desagradável sabor de angústia. Tudo acontece porque no fundo estamos antecipando algo que pode vir a ser um grande revés em nosso dia. A ansiedade pode facilmente construir pensamentos catastróficos, que preveem o pior cenário para o futuro próximo.

Apesar de tudo de ruim que esse despertar possa ter significado, a ansiedade alertou o seu corpo para enfrentar o conflito que virá: qual a consequência desse atraso e como ele pode ser minimizado? Tudo o que se sente nesse momento serve para colocar logo o corpo em posição de enfrentamento dessa angústia. A ansiedade é sempre desagradável, mas aqui ela foi boa, porque produziu o movimento necessário à vida naquele instante. As "borboletas no estômago", esperando chegar um dia muito aguardado (o casamento, a formatura, a festa de aniversário, o encontro desejado com um certo alguém), podem ser uma manifestação de boa ansiedade. Nesses casos, ela antecipa para nós o quanto queremos aquele momento, inclusive nos deixando mais conscientes para colocarmos a atenção em cada detalhe do que possa vir a ser inesquecível.

A ansiedade ruim é o contrário: não resolve nem supera nenhuma questão. Ela faz o oposto: paralisa, desespera de forma quase incontornável, prejudica todos os papéis sociais que precisamos exercer. Isso quer dizer que, a partir de um determinado ponto dessa emoção desagradável, o impulso que a ansiedade criou como motor do movimento pifa, e passamos a ser reféns da ansiedade em seu estado mais ousado. A partir desse momento, sentimo-nos inertes, com poucos recursos para lidar com a sequência de pensamentos, sentimentos e comportamentos ansiosos.

Tudo o que gerar paralisia em você merece ter prioridade. Sempre que você não se sentir apto para realizar o movimento básico da vida, ou as funções que precisam ser desempenhadas, vale prestar atenção nesse momento com todo o cuidado que você puder ter consigo. Não é fraqueza, não é mimimi, não é exagero seu, não é frescura. É a ansiedade te dizendo que você precisa de cuidados – não necessariamente médicos; pode ser um abraço, por exemplo, gente que reconheça que isso faz parte do mais que humano em nós. A solidão, quando de mãos dadas com a ansiedade, faz tudo ser muito mais árido. Quanto mais tempo você ficar sem conseguir pedir algum tipo de ajuda, mais prejuízos terá.

>>>>

Tudo o que gerar paralisia em você merece ter prioridade. Sempre que você não se sentir apto para realizar o movimento básico da vida, vale prestar atenção nesse momento com todo o cuidado que puder ter consigo. É a ansiedade te dizendo que você precisa de cuidados.

<<<<

Eu imagino que você já possa ter se sentido assim, na cena ansiosa mais horrível. É por isso que eu quero te dar um abraço demorado aqui em forma de palavras. Eu deixo você com esse abraço demorado, compassivo com a sua e com a nossa condição de humanos expostos a esse tipo de desconforto. Um abraço que não cura, e que sabe disso muito bem, mas um abraço que quer ofertar um coração menos acelerado para, aos poucos, respirar com o seu e, quem sabe, terminarmos essa cena sorrindo um pouco por baixo do suor nas têmporas. Um demorado, forte e profundo abraço em você que me lê agora.

6.
Medo e ansiedade
não são sinônimos

NUMA NOITE QUALQUER DA VIDA RECENTE, UM DE meus filhos me chamou, alta madrugada. Estava de pé, chorando, pedindo consolo. Imediatamente despertei, trouxe-o para perto. É nesses momentos de profunda dor deles e acolhimento nosso que eu mais me realizo na paternidade, não importa a hora em que aconteça. E sou dos que acreditam que camas grandes existem para abraços urgentes. Tomei-o num abraço, primeiramente em pé, e coloquei-o ao meu lado, embaixo do cobertor. Ele chorava com alguma reticência, mas quando nos deitamos ali juntos o choro decidiu jorrar de vez. "Eu sonhei que você morreu, papai!", disse, contando uma história na qual ele achava meu corpo no local em que atendo meus pacientes on-line aqui em casa. Ele ainda tremia. Os olhos estavam arregalados, a boca parecia seca, sendo umedecida pelas lágrimas. Ele estava em plena expressão do medo. Havia vivido, ainda que num sonho, uma cena muito contundente e que, de tão real, tinha provocado um medo espantoso.

O medo é isso: uma reação a um objeto muito definido, uma reação a um foco específico e real. O sonho foi muito realista, o foco era evidente: o medo de encontrar o pai ali, caído, sem vida. É uma resposta imediata, que não passa pela consciência; é uma emoção fundamental à existência. O medo nos protege de muitas situações delicadas, oferece um amparo à tomada de decisões que envolvem riscos. O medo é ativado diante do perigo e desativado quando esse sinal de perigo se extingue. É como um botão que só é acionado quando há um alerta importante a ser considerado, no momento presente. E quando esse botão desliga, quando a ameaça não existe mais, os sintomas do medo também desaparecem.

Meu filho conseguiu dormir depois de me abraçar e me beijar muito, de dizer que me amava e como minha vida é importante para ele. Eu fiquei ali, emocionado, chorando com ele, dando o apoio de que ele precisava e recebendo muito mais do que certamente eu estava lhe trazendo como escuta atenta ao seu sofrimento. Em uns quinze minutos ele adormeceu, abraçadinho a mim, e essa foi uma das cenas mais belas que nossa história pôde colecionar até aqui.

Já a ansiedade surge como uma probabilidade de futuro. A ansiedade é um dado que aparentemente tem seis faces, mas em todas o pensamento consegue prever o pior resultado sempre. O desassossego da ansiedade é porque ela fala de um evento que ainda não

O desassossego da ansiedade é porque ela fala de um evento que ainda não aconteceu, ao contrário do medo, que é vivido na hora em que a coisa está acontecendo.

aconteceu, ao contrário do medo, que é vivido na hora em que a coisa está acontecendo. A ansiedade, como uma ideia voltada para um futuro incerto, pode começar a contar a história mais rocambolesca que quiser. É uma espécie de "e se...?" que vem urubuzar o momento presente, que pode ser inclusive de muita leveza. Nos dias seguintes a esse sonho, meu filho voltou a mim perguntando como estava minha saúde, se havia muito tempo que eu não realizava um checkup. Um dia eu tossi, e ele perguntou se era covid – era um engasgo de água. Ele já queria ir comprar um autoteste, para garantir. Naquelas conversas, estávamos lidando com sintomas ansiosos dele, que apontavam para um "e se aquele sonho fosse premonitório?".

A ansiedade é essa interruptora de brisas. Ela chega transformando o banal em potencial tragédia. A ansiedade quer gritar que o improvável vai acontecer certamente em poucos segundos, e precisamos agir com a rapidez mais impressionante para evitarmos o pior. O pior é o que o pensamento ansioso confabula, numa ficção desvairada que se crê realidade. A ansiedade pode surgir de um medo, mas ela dura muito mais tempo no corpo, volta com muito mais reiteração e em momentos que não oferecem o estímulo necessariamente como um gatilho. Por isso ela é uma avalanche, porque vai fazendo uma bola de neve com tudo o que encontra de imagens, pensamentos, sentimentos. E essa bola fica gigante em tão pouco tempo, mas tão pouco tempo, que atordoa.

Eu desejo que você possa entender que esse atordoamento é fabricado por nós mesmos, diante das

<<<<

A ansiedade
é essa interruptora
de brisas.
Ela chega
transformando
o banal em
potencial tragédia.

>>>>

exigências estressantes da vida. A responsabilidade pelo tratamento da ansiedade que te invade não é somente sua. Somos um mundo que oferta pressa, pressão e expectativas de desempenho incompatíveis com a paz de espírito. Precisamos fazer, em todos os lugares, um compromisso de transmutar esse padrão. Por exemplo, você pode pensar em como fazer da sua casa, do seu ambiente de trabalho, das suas relações afetivas, um lugar menos ansiogênico, ou seja, que gere menos ansiedade. Mesmo que você não esteja em posição de poder nesses espaços, há ações coletivas que podem ser propostas para redesenhar o bem-estar cotidiano. Porque todos merecemos uma vida menos ansiosa. Porque já bastam os medos reais que temos que enfrentar. Porque já bastam as situações reais de uma vida. Porque há de haver vida, "noves fora" esses tantos momentos de respiração curta.

<<<<

Porque todos merecemos uma vida menos ansiosa. Porque já bastam os medos reais que temos que enfrentar. Porque já bastam as situações reais de uma vida.

>>>>

7.
Como você fica quando não está sob o efeito da ansiedade?

QUANDO SENTIMOS ALGO NOVO, QUE NOS AFETA PELA primeira vez, usamos o verbo "estar": "Estou me sentindo de forma diferente do habitual". O fenômeno novo levanta uma pergunta, deixa-nos com uma lacuna de sentido. Há uma parte de nós que vai se acostumando com a previsibilidade e com a repetição de cenas a ponto de virar um padrão. De repente, eis que tudo muda sem aviso prévio. É nesse momento que usamos esse tipo de expressão para falar do desconforto de não entender como estamos nos sentindo, o que o corpo está querendo dizer com aquilo. Podemos levantar as hipóteses mais impulsivas ou imediatistas, acertando até no nome da coisa. Quando estamos falando de ansiedade, no entanto, sabemos exatamente como ela se manifesta e como costumamos senti-la chegar, ocupar espaço e ir embora.

O importante é: ela vai embora. Ela não tem cadeira cativa em todos os segundos da existência. Por que um fenômeno que vai e volta parece estar presente o tempo todo, como a respiração? Com que facilidade passamos a nomear tudo o que nos envolve como algo definitivo, identitário, como se fosse um sobrenome a mais? "Sou uma pessoa ansiosa" é o que eu mais escuto quando começo uma sessão com um paciente, casal, família ou grupo. Em qualquer contexto, as pessoas se apresentam com a ansiedade como um dado importante que o mundo precisa saber sobre elas. Eu acredito que, de fato, a ansiedade é uma força tectônica incontrolável que interfere tanto na vida que, com esse tipo de descrição, pode até parecer que ela é o mesmo que viver.

Os dias são experiências de múltiplos papéis sociais, em espaços, com companhias e sentimentos diversos. Não estamos em todos eles da mesma forma. Em muitos momentos, deixamos de ser aquilo que tão normalmente definimos ("eu sou uma pessoa ansiosa") e passamos a ser outra coisa. O que aconteceria com a sua forma de se ver caso você deixasse de se enxergar como uma "pessoa ansiosa"? Que tipo de adjetivo você poderia se dar nessa circunstância?

Esse exercício não é imaginativo. Ele tem fundamento empírico em cada um dos seus dias. Você pode passar a prestar atenção em todos os micromomentos em que não se sente tomado, parcial ou totalmente, pela ansiedade. Isso é muito importante para humanizar-se, primeiramente diante do seu próprio espelho, e depois sustentando essas outras qualidades suas para o mundo. Todas as vezes que compramos um diagnóstico como

<<<<

O que aconteceria com a sua forma de se ver caso você deixasse de se enxergar como uma "pessoa ansiosa"? Que tipo de adjetivo você poderia se dar nessa circunstância?

>>>>

representativo demais de quem somos, corremos um sério risco de deixar soterradas as outras facetas que nos compõem, e que inclusive podem fazer um contraste saudável com aquele problema que carregamos vida afora. Pessoas ansiosas podem ser leves, irreverentes, suaves, delicadas; podem falar pausado, podem conseguir escutar muito bem. A imagem deletéria de uma pessoa ansiosa leva o mundo a estigmatizá-la com a dificuldade de dar espaço ao silêncio, à brisa, ao outro e à delicadeza. Se a ansiedade parece sempre ser um furacão, as pessoas ansiosas carregam o medo de serem percebidas como "aquelas que sempre invadem".

Você não vive a ansiedade o tempo todo. Há espaço em você para a serenidade. Você tem consciência de quais circunstâncias da vida te deixam nesse estado mais tranquilo? Isso importa muito para você e pode te ajudar a entender melhor alguns caminhos que te levem a viver mais cenas belas, menos invadidas pela ansiedade. Geralmente, somos menos ansiosos quando somos reconhecidos, quando o erro não aparece como uma chaga ou uma lástima definitiva. Sendo um pouco mais livres para exercitar a vida com a condição errática humana, ganhamos ar. E, quanto mais ar, menos ansiedade. Que tipo de ambiente, companhia, grupo ou relacionamento te deixa com mais oxigênio para a vida? Em que condições você vive sem se lembrar que sofre com ansiedade?

Lembre-se sempre do direito eterno de uma pessoa: o de ser autônoma para contar de si da forma como lhe parecer mais coerente. Na cultura em que vivemos,

<<<<

Você não vive a
ansiedade o tempo
todo. Há espaço
em você para
a serenidade.
Você tem consciência
de quais circunstâncias
da vida te deixam
nesse estado
mais tranquilo?
Isso importa muito
para você.

>>>>

somos convidados a nos sentirmos "pessoas com rótulos", o que é um reducionismo muito ilegítimo de nossa complexidade. Somos muitos e tudo ao mesmo tempo agora. Temos a capacidade de recontar o que fomos, temos a liberdade de reinventar as palavras que nos nomeiam. Nossa própria história precisa conter tudo o que somos de mais inventivo, surpreendente e belo. A ansiedade é uma parte nossa, jamais o todo. Você e o mundo inteiro merecem saber isso sobre você.

<<<<

Temos a capacidade de recontar o que fomos, temos a liberdade de reinventar as palavras que nos nomeiam. A ansiedade é uma parte nossa, jamais o todo.

>>>>

8.
A ansiedade
nos desconecta
do melhor
de nós

DE REPENTE, O CHÃO DA CERTEZA SE ESVAI. TUDO O que se pensava ser previsível termina por cumprir o destino oposto – o de desiludir. A ansiedade é uma desilusão perfeita, porque tem a capacidade de fazer tudo parecer volátil demais. Do nada, ela chega e coloca a pergunta traiçoeira: "e se...?", num exercício de imaginação nada lúdico. Pelo contrário, é uma assombração bem adulta, imperativa, ousada e mandatária. Quando ela chega, rouba a cena. A ansiedade é um assalto: você estava à toa na vida, o seu amor lhe chamou e ZÁS. Já era. Ela é uma ladra de tranquilidades. E, nessa história, ela rouba um tanto mais – termina por roubar de nós o chão, a base, o fundamento.

A ansiedade convoca e produz um esquecimento de quem somos. Antes dela somos potentes, temos leveza, conseguimos perambular pelas horas. No momento em que ela se apossa do tempo, a mente começa a dizer, o corpo começa a falar em gritos: é tudo para agora. Não há tempo hábil para evitar o pior. Na correria que se instala para tentar refazer o caminho que pode dar na catástrofe, terminamos nos perdendo de nós. Dizemos coisas que não gostaríamos, apavoramos gentes que estavam vivendo suas vidas ali ao lado. Esquecer é não se lembrar daquilo que temos de mais forte, de mais belo, que resiste às chuvas fortes da alma. Quando nos esquecemos, nos enfraquecemos. Quanto mais nos esquecermos de quem somos, menos hábeis estaremos para lidar com a ansiedade.

Não podemos acreditar nessa história única. Chimamanda Adichie, no livro inesquecível de mesmo nome da sua palestra TED, *O perigo de uma história única*, afirma que as histórias únicas criam estereótipos, que são descrições muito incompletas das pessoas. Passamos a ser identidades simplistas e simplificadas. "Você não pode contra a ansiedade", "A sua ansiedade deve ser tratada somente da maneira que estou te dizendo aqui" e "Eu não vou conseguir nunca lidar com ela, só o remédio me salvará disso, sempre" são exemplos de histórias únicas. Elas silenciam as oportunidades de desenvolvimento, confinando as pessoas a um encarceramento criativo. Você é muito mais do que uma única história na lida com a sua ansiedade. Se ela é histórica em sua vida (e na minha, e na de qualquer pessoa), temos uma trilha de aprendizado já construída, e uma outra enorme a ponto de ser iniciada. Somos aprendizes sempre iniciando um novo capítulo do livro "preciso me lembrar de quem sou".

Quanto mais nos esquecermos de quem somos, menos hábeis estaremos para lidar com a ansiedade.

A ansiedade nos rouba de nós, e por isso mesmo temos o direito de rememorar quem somos. Lembrar do que é possível, do que já fizemos de arte, sorriso, cambalhota. De quando fomos surpreendentemente melhores do que imaginaríamos. Se a ansiedade é íntima de nossas vidas, sejamos estrangeiros, forasteiros, curiosos de um mundo novo. O humano é uma porta aberta que nunca se fecha, e nada merece ser definitivo. Se não imaginamos cura, que inventemos formas de lidar com os incômodos que a ansiedade nos traz. Se a ansiedade nos retira o chão, que possamos recordar como fazer asas. O melhor de nós não morre com a ansiedade, mas é fato que ela soterra os caminhos do pensamento e do sentimento para recordar que somos muitos, e muito além dela.

Essa lembrança acontece através de um despertar, que pode ser difícil a princípio. Pense como é difícil acordar quando o sono está muito pesado: assim nos sentimos quando queremos sair de um modo mais rígido de ver as coisas. O corpo parece não acompanhar a necessidade, a vontade ou o desejo. Esse corpo ansioso é um corpo social, é um corpo que pulsa no encontro com muita gente. As pessoas que você tem encontrado te ajudam a ficar mais ou menos em contato com a história única da ansiedade? Os círculos de relacionamento, as rodas de conversa, os tipos de pessoas que te influenciam nas redes sociais, a família, as lideranças da empresa, os amigos: pense nos contextos que te apoiam e nos que te desestruturam mais.

<<<<

Se a ansiedade é
íntima de nossas vidas,
sejamos estrangeiros,
forasteiros, curiosos
de um mundo novo.
O humano é
uma porta aberta
que nunca se fecha,
e nada merece
ser definitivo.

>>>>

Não há história única; há uma história repetida à exaustão, por muitos à sua volta, afirmando que você é uma formiga perto da crise elefante. Essa é uma história única sobre você. E ela aparece na sua mente, na hora da crise de ansiedade, mas lembre-se: ela foi construída muito, muito antes. Ela é o produto de inúmeras falas sobre você, sobre como é a vida, sobre como você deve ser, estar e se comportar, como deve produzir e como está em atraso com o que já deveria ser. Essas vozes todas lhe compõem, mesmo que você não se aperceba disso. E elas ficam zunindo no ouvido, formatando um corredor apertado por onde sua existência deve passar. Quebre essas paredes, desacredite nessa história única. Toda essa produção de discursos sobre você é uma forma de te desconectar do melhor que você já foi, continua sendo e pode voltar a ser. E relembrar-se disso é uma espécie de renascimento em vida.

Não há história única;
há uma história
repetida à exaustão,
por muitos à sua volta,
afirmando que você
é uma formiga perto
da crise elefante.
Quebre essas paredes.

9.
A ansiedade nos leva para o futuro. O que perdemos com isso?

A ANSIEDADE É UMA CATAPULTA DO TEMPO, LANÇANDO-nos para um futuro imaginado e sentido como o pior dos cenários. Estamos num século em que o futuro é o que importa: sonhar, colocar foco e fé nas metas, imaginar onde queremos estar em cinco anos, projetar-nos naquilo que nos faz querer viver melhor o presente. Tudo isso pode ser belo, útil e inclusive saudável. Não há nenhum demérito em sonhar. O problema está em ser obrigado a construir metas cada vez mais audaciosas, sem pausa, sem descanso, sem tempo para decidir se eu quero mesmo continuar no mesmo ritmo de estabelecimento de parâmetros de resultado. Temos o direito de parar? A partir de quando o silêncio, a quietude, o amparo de si e a recusa do tempo frenético deixaram de ser virtudes essenciais à vida?

Essas virtudes esquecidas moram nos outros dois tempos: no presente e no passado. Quando somos levados somente para o futuro, deixamos vagos os espaços do aqui e agora e das nossas memórias, das saudades, das cenas que nos compuseram. A ansiedade virou esse estímulo perene da cultura a nos guiar rumo ao tempo que ainda não existe. Fomos retirados do chão do presente e do chão das nossas memórias. Qual o efeito disso em nossas vidas?

Desprestigiar o presente é estar em estado de desatenção permanente. É no presente que podemos estar atentos e fortes, como cantava Gal (ah, que saudade, Gal...), ainda que nossos tempos insanamente acelerados não nos deixem nem mesmo o tempo para temer a morte. É no presente que podemos estar conosco, refletindo sobre quem somos, em quem estamos nos transformando. É no presente que acontecem os encontros que ficarão como as melhores memórias de uma vida inteira. É no presente que podemos prestar atenção ao outro, escutá-lo, senti-lo, compreendê-lo ou julgá-lo, conversar com ele. É no presente que as crianças vivem, e é para o presente que elas nos reconvocam nestes tempos, quando, por exemplo, nos pedem para desligar o celular e brincar com elas, sem interrupções do tipo "mas é só uma mensagenzinha, calma!". Desprender-se do presente é desabitar um pedaço da vida.

Desprestigiar o passado é deixar turva a memória. No meu primeiro livro, *Cartas de um terapeuta para seus momentos de crise,* há uma carta escrita pela saudade (isso mesmo, é um livro em que eu tive a ideia de fazer os sentimentos humanos escreverem cartas aos leitores). Nessa carta, a saudade vem nos relembrar de como ela pode ser sinônimo de saúde: "Quando

<<<<

A ansiedade virou esse estímulo perene da cultura a nos guiar rumo ao tempo que ainda não existe. Fomos retirados do chão do presente e do chão das nossas memórias. Qual o efeito disso em nossas vidas?

>>>>

você estiver ao meu lado, vai perceber que também posso ser o instrumento para você resgatar, lembrar e construir força para os seus dias [...] ao revisitar suas reminiscências, vai se lembrar da história do sentido que a vida assumiu para você. [...] Sinta o poder disso: saudade é imaginar, não é somente lembrar. Saudade é recriação. Porque não há um retorno às mesmas estradas vividas, temos a bênção de não nos lembrarmos perfeitamente de tudo. O que nos falta na lembrança é justamente o que dá espaço para a capacidade de reelaborar. [...] O passado não é uma estante empoeirada, para a qual se retorna somente retirando o pó e o mofo. O passado é uma redação incompleta, sempre à espera dos parágrafos seguintes".

Renegar a importância de voltar ao passado é enfraquecer o tônus da alma. Olhar para a frente sempre é deixar para trás, no passado, elementos importantíssimos de nós que fazem tanta falta que podem nos deixar mais à mercê da ansiedade. Uma das melhores formas de lidar com aquilo que nos angustia é poder parar para relembrar quem somos, de onde viemos, o que queremos da vida. Há um preço altíssimo para esse esquecimento, que é se sentir só, impotente, frágil e derrotado diante dos dilemas da vida. Quando nos lembramos de onde viemos (por exemplo, quando nos lembramos das histórias de força que existem em nossos antepassados), sentimo-nos imantados a essa força. Somos feitos de coletivos, de gentes unidas em forma de família, amigos, turma de colégio, cenas e mais cenas. Esse laço nos enleva, nos compõe. Mesmo que imaginemos que já não

<<<<

Quando nos
lembramos de onde
viemos, sentimo-nos
imantados a essa força.

>>>>

somos mais aquelas pessoas ali na memória borrada, é certo que já fomos. E que muitos dos nossos foram igualmente atravessados pela dor de existir. Lembrar disso é trazer companhia para o desalento, é receber amparo invisível e, ao mesmo tempo, quase palpável.

Quais as cenas mais marcantes que podem ser lembradas por você, agora, que compõem os seus passados e os seus antepassados? O que você sente ao se reconectar com essas memórias? Que saudades de você estão precisando ser relembradas, para que você se ancore novamente em um chão que não deixe nenhuma parte sua de fora? Que relações do seu momento presente você está vivendo de forma automatizada, acelerada? O quanto as relações virtuais estão lhe afastando do seu presente e do seu passado? O quanto pensar somente no futuro também está construindo a sua ansiedade?

Como você vê, a ansiedade mora mesmo nessa implicância em levar-nos para o futuro. Precisamos mesmo é abrir um espaço e um tempo, que ninguém nos concederá a não ser nós mesmos, de estar no presente e de ter tempo para o passado que nos faz sentir que fomos, e sempre seremos, nós mesmos.

<<<<

A ansiedade mora mesmo nessa implicância em levar-nos para o futuro. Precisamos mesmo é abrir um espaço e um tempo, que ninguém nos concederá a não ser nós mesmos, de estar no presente.

>>>>

10.
Depois do WhatsApp, a ansiedade se tornou o novo parâmetro que define o que é urgência

QUANDO O WHATSAPP APARECEU NO MUNDO, EM 2009, ele prometia uma revolução na comunicação humana: a possibilidade de conversar com qualquer pessoa ou com várias pessoas de forma síncrona, ou seja, recebendo quase imediatamente a resposta àquilo que foi escrito ou, posteriormente, gravado em áudio ou vídeo. O impacto desse aplicativo foi tamanho que, depois dele, o e-mail ganhou ares mais formais e o WhatsApp passou a ser o que de mais informal tínhamos para construir nossas conversas mais cotidianas. Pela primeira vez passaríamos a ter um meio de comunicação que poderia conectar várias conversas rápidas e construir uma sensação de intimidade com o interlocutor – por exemplo, a viralização das figurinhas divertidíssimas, que ajudam a dar um contorno ainda mais leve para tudo o que se falar de mais denso por ali.

Essas duas palavras, intimidade e informalidade, são características importantes desse lado das nossas experiências de comunicação através do WhatsApp. A percepção de intimidade e a construção de laços com as pessoas podem acontecer muito rápido, supondo que temos espaço para aprofundar o tipo de assunto, o tom da conversa e a característica do relacionamento. Não é raro, assim, que os usuários desse aplicativo se sintam sobrecarregados com excessos de mensagens, ainda que sejam todas elas de carinho e apreço. O WhatsApp abriu espaço para que qualquer pessoa se sinta à vontade para adentrar a vida do outro. Quem recebe mensagens em série se sente na obrigação de responder – o que pode gerar muita ansiedade. Pergunte às pessoas à sua volta, ou a si mesmo, como elas têm se sentido a respeito dessa saturação de conversas sem fim.

Perceba que, nesse tipo de cultura que se estabeleceu depois da última década, perdemos um tanto da capacidade de distinguir quando estamos diante de uma urgência ou somente de uma experiência ansiosa com que podemos lidar. Distorceu-se a tolerância ao tempo de espera, que antes era tido como natural. Hoje, partimos do princípio de que o destinatário da mensagem tem disponibilidade quase imediata para responder a nossas questões. A demora na resposta deixou de ser sentida como uma liberdade para a vida ter outros afazeres, e agora a sentimos como descaso, desimportância, desqualificação. Podemos até criar hipóteses catastróficas, sobretudo de que podemos ter feito algo para essa pessoa nos "cancelar" e nos deixar no vácuo sem resposta. Como se uma demora mínima para dar um retorno fosse uma espécie de *ghosting* diário a que pudéssemos estar submetidos.

Essa distorção é muito importante de ser demarcada aqui: em pouco mais de uma década, um aplicativo transformou nossa experiência de comunicação, mas também a forma como ficamos emocionalmente diante do tempo que o outro leva para nos responder. A cultura individualista nos leva a fazer essa inferência falsa, que pode ser inclusive muito inconsciente: somos importantes para o outro, ele vai me responder, ele vai se compadecer da minha angústia e vai me ajudar aqui. Se não o fizer, isso quer dizer que ele não se importa comigo da forma como eu imaginava. E, sempre que eu estiver com alguma demanda, poderei facilmente acessar uma ou várias pessoas que rapidamente terei essa resposta literalmente na palma da minha mão. Tudo isso são experiências de distorção da disponibilidade humana, porque continuamos tendo que funcionar bem em todos os nossos papéis sociais (família, trabalho, amigos, lazer, espiritualidade etc.) nas mesmas 24 horas do dia.

Se quisermos melhorar nossa ansiedade, precisamos pensar em como estamos lidando com o WhatsApp e com qualquer aplicativo de mensagens instantâneas semelhante a ele (adolescentes usam mais o Discord, por exemplo). Não é verdade que temos a disponibilidade infinita do outro, tampouco que a demora em nos responder é indicativo de desimportância na relação. De repente, de forma quase imperceptível, passamos a viver virtualmente em um cenário em que tudo parece ser urgente, mas não é.

O hábito pernicioso de poder dirigir-se ao outro a qualquer momento do dia esgarçou o sentido de urgência. Passamos a ver emergência onde apenas existe um tipo de ansiedade fabricada pelo nosso tempo. Reflita sobre o momento em que você troca uma palavra pela outra e sobre como a ansiedade é inevitavelmente encoberta por um significado mais nobre e que obriga o outro a te responder. Afinal, a pessoa passará realmente a ser uma tremenda ingrata ou negligente depois de ler você escrevendo para ela: "É urgente, preciso de você". Eu tenho certeza de que você também já pode ter sido o destinatário de centenas de mensagens com esse tom e pode também refletir sobre como se sente obrigado a dar uma resposta imediata e eficaz para aquele desconforto.

Assumir que é ansiedade, e não urgência, é uma maneira eficiente de delinear melhor um freio interno – uma pausa para respirarmos e sermos menos impulsivos – que pode nos reconduzir a uma convivência menos saturante. Estamos todos abarrotados de mensagens sem resposta, sentindo-nos devedores dos outros, envergonhados e pedindo desculpas assim que os encontramos: "Meu Deus, me perdoe, você estava precisando de ajuda naquele dia e eu não pude te responder!".

A ansiedade é a névoa que se interpõe no desassossego de quem manda e de quem recebe a mensagem, e, para enfrentá-la de verdade, precisamos dar um nome honesto ao fenômeno. Estamos saturados é desse funcionamento veloz, acelerado e gerador de

O hábito pernicioso de poder dirigir-se ao outro a qualquer momento do dia esgarçou o sentido de urgência. Passamos a ver emergência onde apenas existe um tipo de ansiedade fabricada pelo nosso tempo.

ansiedade em todos os poros do tempo. Estamos sobrecarregados é desse pacto de eficiência e produtividade sobre-humana, que pede que tudo seja para ontem. Reconhecer que precisamos realinhar o que é urgente e o que é pura ansiedade é parte do remédio não medicamentoso dessa desvirtuada e um tanto inescapável forma de existir.

<<<<

Reconhecer que precisamos realinhar o que é urgente e o que é pura ansiedade é parte do remédio não medicamentoso dessa desvirtuada e um tanto inescapável forma de existir.

>>>>

11.
As redes sociais estão produzindo mais ansiedade em todos nós

PODEMOS CONSIDERAR QUE SOMOS PESSOAS VIVENDO nas redes sociais com a mesma cotidianidade que vivemos fora dela. Podemos até imaginar que há momentos e profissões em que as pessoas vivem muito mais imersas em seus perfis virtuais do que no corpo off-line, quando podem descansar da virulência das informações das redes através do encontro de olhos nos olhos, no tempo da conversa que não quer acelerar nada e na brincadeira que pode demorar mais tempo do que uma curtida ou um comentário de duas linhas.

Enquanto eu disse essa última frase, pode até ser que você tenha suspirado e pensado no quanto há imensas histórias que você tem deixado de escutar, no quanto os encontros têm sido corridos, no quanto sua desatenção tem o impedido de estar presencialmente na cena, em que parece que seu corpo se posta mas não é acompanhado com a alma inteira. Ao nosso lado temos sempre alguém nos recordando de que há muito o que ser vivido fora das telas: nossos filhos, cônjuges, familiares, amigos e colegas de trabalho.

É isso o que as redes sociais têm feito conosco: a desconexão com a vida de carne e osso. Trocamos a conexão entre corpos vivos e pulsantes pela conexão do Wi-Fi, pela conexão entre perfis, curtidas, postagens e comentários. As redes sociais se tornaram, sim, um mundo útil e cheio de belezas – não estou aqui para demonizá-las, definitivamente. Eu mesmo tenho vivido imensas alegrias no mundo virtual, através da conexão com pessoas maravilhosas, que depois inclusive se transformaram em abraços sentidos com o corpo inteiro. Sinto que estamos ainda engatinhando no aprendizado com elas, mas é fato que vale a pena vê-las com criticidade, escutando o que nos importa definitivamente.

A rede social é um elemento da vida contemporânea que nos relembra de que tudo precisa ser rápido, imediatista, pragmático, direto ao ponto e cheio de conteúdo. "Conteúdo" é uma palavra que pode disponibilizar para nós somente benefícios, mas hoje ela significa muito mais coisa. Receber conteúdo nas redes sociais e sentir-se obrigado a interagir com ele, através de curtidas, comentários e compartilhamentos, é um pedaço de tormento que está sendo naturalizado por todos nós.

A revolução do smartphone trouxe as notificações, em todos os aplicativos – muitos deles funcionando como redes sociais, pedindo interação e comentários! Como você se sente quando chega uma notificação na tela de início do seu celular? Quantas vezes você se angustia, sem perceber, com a famigerada urgência (na maior parte das vezes fantasiosa) para responder a tudo? Quantas vezes por dia seu coração entra em estado de alerta, com medo de que algo muito ruim possa acontecer ou estar contido naquele número aparentemente inócuo que vai acumulando mensagens não lidas em todas as formas de redes sociais?

Acordamos checando notificações, dormimos vendo se não há nada urgente a ser feito. Se despertamos à noite, o celular é revisitado. Quem trabalha com algum serviço ao público (por exemplo, profissionais de saúde, educação, direito etc.) está sujeito a receber mensagens a todo momento, sentindo-se extenuado de maneira crônica. A rede social terminou por nos transformar em um planeta ansioso pela chegada das notificações ou pela demora no retorno de uma postagem. Adolescentes se sentem pouco amados se a postagem não engaja, se a foto recebe poucas curtidas. Sempre há uma trend, um jeito novo de postar, uma frequência que precisa ser estabelecida nas postagens, senão você será punido pelo algoritmo com o esquecimento, com a invisibilidade cruel e imediata desse mundo virtual.

Sentimos que precisamos estar por dentro de todos os temas mais comentados – os chamados *trending topics*, aqueles assuntos sobre os quais todo mundo se sente impelido a entender, postar, comentar e compartilhar. Já existe um nome específico para essa ansiedade do conteúdo pulverizado diariamente na internet: FOMO (*fear of missing out*), o que quer dizer medo de ficar de fora. O medo do FOMO é de não pertencer a esse mundo, cujas regras de inclusão são etéreas, não reconhecem a história da sua presença e pedem a todo momento que você seja um intenso consumidor daquelas palavras ditas em vídeos e textos.

O mundo das redes sociais trata seus habitantes como o mundo real trata os refugiados: morando num lugar sem lugar, como se não tivessem direitos por estar numa pátria que não é seu lugar de origem. Somos todos hóspedes dos algoritmos, que decidem o quanto seremos vistos e reconhecidos, em decisões que mudam tudo de repente alheias à nossa vontade, desconsiderando nosso esforço de engajamento. Quando nos demos conta, já tínhamos nos tornado reféns desse funcionamento enlouquecedor.

Se você se sentiu um pouco mais ansioso lendo este capítulo, pode ser que tenha se identificado com a voracidade com que está sendo consumido pelo funcionamento das redes sociais. Esse mundo é inevitável para inúmeros de nós, e não haverá trégua nem bandeira branca a ser repensada em nosso benefício. Aqui somos nós por nós, em decisões que podem parecer contraculturais demais, ridículas até, deixando-nos com uma imagem desbotada como uma foto impressa dos tempos da velha infância.

O abraço possível em uma alma exausta de pertencer a esse mundo é a escuta da saudade do encontro de carne e osso. Escute seus silêncios e entenda de que pessoas você tem sentido falta, de que experiências no mundo você tem estado distante e que anteriormente

≪≪≪

O abraço possível
em uma alma exausta
de pertencer a esse
mundo é a escuta da
saudade do encontro
de carne e osso.

≫≫≫

lhe faziam muito bem.⁵ Vale voltar à cachoeira, vale caminhar no parque sem consumir nenhum conteúdo simultaneamente, vale deixar o celular em casa para correr com o cachorro. Pode ser que você goste de conversar sem sentir que alguém vai pegar o aparelhinho em mãos "só para dar uma olhadinha no que está acontecendo".

Há abraços fora da rede, abraços que geram saúde, sensação vívida de amor e pertencimento, muitas vezes mais intensos e duradouros do que os likes tão efêmeros e voláteis. Troque a rede social por uma rede de pano de vez em quando. Você vai se lembrar de ser você. E, nesse momento, entenderá que, por trás da velocidade alucinada, há esquecimentos que nos adoecem, e que a alma é mesmo o caminho de volta à mais surpreendente das cenas que reinauguram a percepção de existir.

---

5. Aproveite para escutar seus silêncios na companhia do belo livro de Petria Chaves, *Escute teu silêncio*, que eu li e recomendo com ênfase e afeto. Afinal, Petria é escritora das ótimas, trazendo o leitor para acompanhá-la nas conversas com inúmeras pessoas de referência nas ciências e nas religiões sobre o cultivo da quietude, da escuta de si e do outro.

<<<<

Por trás da velocidade alucinada, há esquecimentos que nos adoecem, e que a alma é mesmo o caminho de volta à mais surpreendente das cenas que reinauguram a percepção de existir.

>>>>

12.
Seus cinco sentidos podem aliviar a ansiedade

É MUITO COMUM QUE, AO VER UMA PESSOA ANSIOSA, as pessoas a relembrem de respirar. Isso é maravilhoso sempre, porque é um retorno ao movimento mais primal da existência: só há vida quando há oxigênio entrando e saindo dos pulmões. A ansiedade diminui o tamanho da respiração, tornando-a ofegante. E, enquanto a respiração vai ficando curta, ajuda a desenhar o roteiro do desespero e da urgência que quer resolver o futuro catastrófico. Veja, respirar é uma necessidade em momentos de crise, mas, na hora em que tudo está acontecendo, é muito mais difícil entender isso em vez de atropelar a vida com o que a ansiedade nos manda fazer.

 A real é que uma emoção opressiva como a ansiedade pede que seja encontrada alguma rota que reduza o peso e a carga que apertam o peito. Saímos de nós, do corpo que funcionava em um modo mais pacificado. Saímos de nós. A ansiedade nos leva para fora, para o futuro incerto, temível e terrível. Mas qual seria o caminho de volta possível?

Essa resposta é múltipla tal qual são as manifestações ansiosas e os humanos que as vivem. Esta é parte da beleza da coisa: há uma forma de você se encontrar no tratamento da ansiedade que tenha mais efeito para você. Escute esse incômodo como uma pergunta que te leve de volta para você, de uma maneira mais profunda. Não estou falando de nada etéreo, intangível, que pode ser sentido por você até como algo meio ridículo. Estou abordando aqui uma forma de nos reencontrarmos com os sentidos. A ansiedade pede um retorno aos cinco sentidos.

No início da vida, somos recebidos pela nossa mãe, pai, mães, pais, avós, tios, irmãos etc., num processo de pura poesia do encontro: o *imprinting*, palavra em inglês que quer dizer "impressão". É um encontro amoroso entre humanos que começa o processo de vinculação e intimidade e que é todo baseado em cenas que começam e terminam nos órgãos dos sentidos. Não conseguimos parar de olhar o bebê, cheiramos sua nuca, falamos que vamos mordê-lo de tão delicioso que é, tocamos sua pele macia, escutamos os ruídos que ele produz como um chamado para a conexão cada vez mais íntima. Esse movimento do *imprinting* não é cultural, e sim etológico; acontece com todos nós como base da preservação da espécie. Somos programados para nos vincularmos uns aos outros, usando para essa finalidade todas as vias sensoriais que temos.

<<<<

Esta é parte da beleza da coisa: há uma forma de você se encontrar no tratamento da ansiedade que tenha mais efeito para você.

>>>>

Os cinco sentidos são o que nos conecta ao mais que humano em nós. Eles podem ser parte de uma estratégia cotidiana de reconexão conosco, diante da recorrência do fenômeno ansioso. Lembre-se disso; pense em como a sua vida precisa estar imersa em sensações boas com o seu corpo. Ele não pode ser somente o palco de emoções ansiosas. O seu corpo merece inúmeros outros destinos, imensos caminhos de prazer e vivências que te entreguem um mínimo de paz. Há gente que gosta de flores, pelo olfato e pela textura das pétalas, mas que também aprecia sua aparência marcante. Há outros que escutam música de distintas regiões do mundo, ritmos e frequências. Conheço gente que precisa abraçar o pet como quem toma para si o amor condensado em um instante. Pessoas que cozinham são verdadeiras alquimistas dos sabores. Surfistas sentem que as ondas são um toque macio na pele da água. Sentir o vento tocar a pele pode ser um sinal inequívoco da vida entrando pelos poros. E, como eu sou desses, o abraço. Eu não existo sem abraços, muitos: de gentes de todo tipo, nas situações mais inimagináveis. Mas esse sou eu. As pessoas são únicas no desenho das suas identidades. Cada um sabe a dor e a delícia de ser o que é, dizia Caetano.

Se imaginarmos a ansiedade como a dor, que manifestações sensoriais você percebe como delícias? Quão próximo ou afastado você se sente dessas experiências? Elas têm acontecido como os áudios de WhatsApp, em velocidade 2x? Ou você tem conseguido se dar tempo para perceber essas instâncias do cotidiano, e assim

≪≪

As pessoas são
únicas no desenho
das suas identidades.
Cada um sabe
a dor e a delícia
de ser o que é.

≫≫

poder receber o abraço na alma que elas representam? O que precisa ser alterado na sua rotina (e não somente em situações esporádicas) para que, assim como a ansiedade que chega mais do que deveria, você possa guardar no corpo esse tipo de memória que acalenta, acalma, faz suspirar, faz a leveza entrar no dia com a mesma força?

Os cinco sentidos são instrumentos para sentir a vida. Essa frase é redundante ao extremo, mas prefiro usá-la dessa maneira, porque sei que a ansiedade é um soterramento de muitos "sentires" que terminam por nos fazer falta. Ao escavarmos essas terras que são nossas, terminamos por redescobrir quem somos. Ailton Krenak, em uma de suas frases simples e inesquecíveis, nos relembra: "A vida está em mim, não fora! Experimentar a vida em nós, a vida nos atravessando!". Somos corpos que estão no mundo para interagir com ele, em plena ocupação de todas as formas de percebê-lo. Sentir com os sentidos pode fazer muito sentido para você.

<<<<

Somos corpos que
estão no mundo
para interagir
com ele, em plena
ocupação de todas as
formas de percebê-lo.
Sentir com os sentidos
pode fazer muito
sentido para você.

>>>>

13.
A ansiedade social e a "síndrome do impostor"

ESTE LIVRO NÃO SE PROPÕE A SER UM MANUAL SOBRE ansiedade, tampouco uma explicação minuciosa sobre cada nomenclatura dos subtipos de ansiedades, segundo os manuais diagnósticos. A proposta aqui, como já afirmei, é conversar livremente com pessoas que vivem as ansiedades mais comuns de nosso tempo. E, exatamente porque eu sou um profissional de saúde que lida com esse tipo de sintomatologia todos os dias em minhas práticas diversas, acredito que os casos mais graves precisam ser sempre mediados por profissionais, que conjuguem, por exemplo, um tipo de psicoterapia com a introdução de remédios psiquiátricos, se for o caso. Mas abro uma exceção para um tipo de ansiedade comum demais para ser deixada de lado: a ansiedade social.

A ansiedade social pode ir desde o medo de falar em público até o medo mais generalizado de estar em qualquer contexto social. O mais problemático disso tudo é o nível de comprometimento das relações sociais das pessoas que sofrem desse tipo de ansiedade. Somos seres sociais, por definição. Quando temos dificuldade de interagir socialmente, somos o contrário do que precisamos ser para vivermos bem. É claro que não precisamos interagir com qualquer pessoa nem em qualquer ambiente – a seletividade pode ser uma característica humana muito compatível com o bem viver.

Falamos aqui de uma sensação muito incômoda, que faz as pessoas se sentirem sempre em débito com o mundo. Por várias razões, a pessoa sente que "não vai sair bem na foto" ao colocar-se publicamente. Isso pode querer dizer da cor da pele (lembremo-nos, sempre, vivemos em um país cujo racismo estrutural impõe inúmeros sofrimentos à população negra), do formato do corpo, de alguma característica de desempenho (ter nota baixa em uma família que exige bom desempenho escolar, por exemplo), de temer o rechaço em contextos pouco seguros emocionalmente ("vou dizer alguma coisa, fulano virá me criticar e isso vai acabar com o meu dia!"). Preste atenção em como o ambiente vai moldando esse tipo de sensação profundamente adoecedora para a vida.

Alguém duvida de que estamos em um mundo hiperexigente? Quantas vezes por dia você se questiona sobre seus desempenhos? Não é uma pergunta vã, é uma inquietação que surge em você por você ter razão de se perguntar. Essa é uma pergunta que já fez parte da sua vida familiar, social, cultural, ou seja, você sabe que o mundo à sua volta cobra esse tipo de resultado das pessoas. O perfeccionismo pode ser, nesse sentido, uma bela máscara para a ansiedade social, porque ele é uma forma de lidar com o medo de ser rejeitado diante da fantasia ou das expectativas das pessoas. Ansiedades prevendo futuros mais previsíveis ou mais delirantes têm o mesmo valor para qualquer um de nós, já que nosso corpo reage de forma idêntica aos dois tipos de ansiedade, sem querer perguntar primeiro: "Esse cenário que você está desenhando aí para o seu futuro é uma possibilidade ou uma grande viagem sua?".

A vergonha que sentimos em situações como essas faz parte também da timidez. Mas há uma diferença fundamental: a timidez não nos impede radicalmente de estar em ambientes públicos; apenas buscamos formas de nos relacionarmos com eles de maneira menos exposta, menos extrovertida. Aqui, sentimos que somos muito menores, menos capazes, menos úteis, menos dignos de habitar aqueles espaços. E, quanto mais nos escondemos, mais vamos construindo a pretensa certeza sobre essas hipóteses.

Ultimamente as redes sociais trouxeram a expressão "síndrome do impostor", uma forma de definir o medo de ser descoberto como uma fraude, já que a ansiedade se constrói a partir do medo de ser avaliado negativamente, ou até mesmo de ser humilhado em virtude da exposição pública de uma fragilidade ou vulnerabilidade. Mas quem inventou a régua que marca a linha divisória entre o que é aceito e o que é rechaçado em cada ambiente? Qual o nosso poder de agenciamento para transformar essas realidades, sejam elas a nossa casa, o trabalho, o país?

>>>>

Mas quem inventou
a régua que marca a
linha divisória entre
o que é aceito e o
que é rechaçado
em cada ambiente?
Qual o nosso poder
de agenciamento
para transformar essas
realidades, sejam
elas a nossa casa,
o trabalho, o país?

<<<<

Essa é a discussão mais importante. A ansiedade social é fruto de culturas muito pouco inclusivas, julgadoras, moralistas e carregadas de estereótipos e preconceitos. Ela faz da vida social um corredor apertado, pelo qual poucos passam e são aplaudidos. Esse tipo de ambiente é como uma passarela da São Paulo Fashion Week ao contrário, em que as pessoas se sentem julgadas por uma audiência que não as considera dignas de desfilar por ali com seus corpos, com seus tons de pele, com seu cocar, com sua orientação sexual, com seu sotaque, com sua deficiência. Essas culturas precisam e merecem ser transformadas, e para isso não podemos silenciar nossas indignações. Em vez de nos esconder do rechaço, merecemos encontrar pessoas e grupos que se sintam igualmente discriminados, nos fortalecer ali e encontrar, coletivamente, uma forma de fazer o avesso da cultura virar de ponta-cabeça.

A síndrome do impostor nasce de uma voz cultural que define a linha que separa os honrados desses impostores. Essa linha pode ser partida, a qualquer momento, por qualquer uma e um de nós – mas sobretudo por nós, no plural. Preste atenção a inúmeras pessoas, em qualquer tempo histórico, que decidiram perguntar "e quem disse que a vida precisa funcionar assim?", e fizeram dessa pergunta o caminho para a transgressão da norma que, tempos depois, foi assumida como excludente, segregadora e violenta. Sempre valerá a pena questionar que tipo de preconceito social está fazendo você se sentir nessa categoria dos impostores. Você vai descobrir que não está sozinho, que vale a pena se aglutinar com mais gente como você e que a vida pode ser muito bela – longe da submissão aos holofotes julgadores da bem-vinda diferença humana.

<<<<

A ansiedade social é fruto de culturas muito pouco inclusivas, julgadoras, moralistas e carregadas de estereótipos e preconceitos. Ela faz da vida social um corredor apertado, pelo qual poucos passam e são aplaudidos.

>>>>

14.
A inquietação ansiosa e o medo de não ser uma pessoa "equilibrada"

O CORPO EM ESTADO ANSIOSO É UM MOVIMENTO INcerto, como o futuro que se teme. O corpo não sabe se vai, se vem, se fica ou se desiste. O corpo quer muito que algo aconteça e corre o risco de nada haver. O corpo quer muito evitar que o pior aconteça, e não tem o menor indício de que conseguirá evitar a catástrofe. O corpo ansioso fala em movimento desorganizado: caminha a passos circulares, as unhas vão à boca para serem roídas, a perna balança no chão em estado de agonia. A testa franze, o coração dispara, há suor umedecendo a roupa, deixando tudo mais evidente. A inquietação é um sinal de que a pessoa está em estado ansioso.

Tudo gera muita insegurança: há preocupações aparecendo na mente em série, em looping, reiterando a mensagem de que algo muito ruim está por vir. Estreita-se o campo vivencial, e nada passa a importar direito na vida. A única atividade relevante passa a ser

>>>>

O corpo em estado ansioso é um movimento incerto, como o futuro que se teme. O corpo não sabe se vai, se vem, se fica ou se desiste. O corpo quer muito evitar que o pior aconteça, e não tem o menor indício de que conseguirá evitar a catástrofe.

<<<<

lidar com os pensamentos, com os sentimentos e com os comportamentos ansiosos. Mas não é só isso. Como é difícil se concentrar no mundo externo, quando o mundo interno parece encharcar a mente e as emoções, fazendo com que o ansioso viva um dilema impressionante: preciso dar atenção ao que estou sentindo para evitar o pior. Ao mesmo tempo, preciso também atentar ao que está acontecendo ao meu lado, porque essa sensação ansiosa aconteceu não numa espécie de vácuo da vida, mas em algum contexto muito particular. Pode ser no quarto sozinho, no meio da noite. Pode ser numa reunião de trabalho muito relevante, que definirá caminhos futuros do posicionamento profissional. Pode ser na frente de alguém que tenha preconceito e que não saiba lidar com uma pessoa em estado de ansiedade. E ainda há sempre o risco de nada disso ser verdade, mas na hora é tudo a mesma coisa: medos reais ou imaginários promovem o mesmo mal-estar no corpo.

A inquietação ansiosa é o oposto exato daquilo que inventaram como sendo "o equilíbrio". Uma ideia muito interessante de ser examinada, porque as ciências naturais já provaram, por exemplo, que não existe equilíbrio estático em nada no universo e que estamos todos imersos em um mundo complexo em transformação contínua. O tal "equilíbrio" que exigem que tenhamos é uma obra de ficção. Não conseguimos ser o que se apregoa. O Instagram está aí para provar que conseguimos fingir muito bem a felicidade, a realização, a foto perfeita que se esconde por trás de um filtro, a harmonia dos relacionamentos conjugais e as paternidades pouco presentes que se mostram em fotos sorridentes com filhos no parque. O equilíbrio é um sonho humano, mas não é atingível pela experiência mais realista do que essa palavra possa significar.

Equilíbrio é, no máximo, um estado de relativa pacificação das emoções e dos sentimentos, atingido por muito pouco tempo e que é facilmente perturbado por informações, cenas e sensações surpreendentes. Podemos estar num dia de férias, na rede, felizes, e ainda assim uma parte de nós estar preocupada com a saúde daquela irmã que tem uma doença grave, com a fatura do cartão de crédito que virá em um montante difícil de ser pago, com a volta ao trabalho que promete ser cheia de novos desafios. Se nos perguntarem como foram nossas férias, diremos que foram excelentes e que o lugar é lindo, que descansamos. O que também é verdade, mas em um cenário generalista. Quando colocamos a lupa na vida cotidiana, não somos equilibrados; estamos numa corda bamba emocional que tem que se haver com o aparecimento de dados novos com que teremos que lidar a cada novo instante.

Por isso, a inquietude é uma manifestação do corpo, que naquele momento apenas consegue sentir a vida daquela maneira. Há muitas coisas que todos podemos fazer, já que estamos falando aqui das ansiedades mais comuns aos nossos dias (e deixando de lado, por exemplo, as crises de pânico, que, em vez de gerarem movimento, terminam por construir paralisia).

Em todos os ambientes que frequentamos, podemos conversar com as pessoas sobre como cada um

<<<<

Equilíbrio é, no máximo, um estado de relativa pacificação das emoções e dos sentimentos, atingido por muito pouco tempo e que é facilmente perturbado por informações, cenas e sensações surpreendentes.

>>>>

vive o seu momento de inquietação ansiosa. Perceba que, em cada pedaço do Brasil, ela tem um nome diferente. Em Minas Gerais, minha terra natal, é "um trem". Mineiro sente "um trem" quando está ansioso, e ainda pode completar com "senti um trem no peito" (um exemplo de manifestação física da ansiedade). Na Bahia é uma "agonia". Como você costuma se referir a essas situações? Já conversou com as pessoas próximas sobre esse assunto? Faça isso! Pode ser uma conversa libertadora nos ambientes de trabalho, na vida familiar, na escola. Normalizar esses tipos de reações ajuda a quebrar o mito do equilíbrio humano irreal, idealista e inatingível.

Compartilhar como seu corpo e o corpo de cada um ficam diante da ansiedade é uma maneira muito bonita de construir vínculos íntimos. Somos íntimos das pessoas que nos conhecem mais do que através das máscaras sociais. É na intimidade, sobretudo naquela intimidade segura, em que não corro o risco de ser julgado ou ridicularizado, que eu mostro quem sou, vulnerável como qualquer humano vivente. Da vulnerabilidade pode-se construir o diálogo mais empoderador: cada pessoa se colocando com um pouco mais de abertura, inclusive para que todos possamos aprender que assumir quem somos faz bem, traz saúde e é a única maneira de sentirmos que estamos vivendo a nossa própria vida.

<<<<

Compartilhar como seu corpo e o corpo de cada um ficam diante da ansiedade é uma maneira muito bonita de construir vínculos íntimos. Somos íntimos das pessoas que nos conhecem mais do que através das máscaras sociais.

>>>>

**15.
Ansiedade é
uma emoção
contagiosa, mas
não perigosa

ENQUANTO VOCÊ ESTÁ LENDO ESTAS PÁGINAS, PROVAvelmente já pegou o celular e acessou um aplicativo de vídeos rápidos, em que há trends, que são tendências na forma de postar algum conteúdo. Pode ser um tema, pode ser uma dança, pode ser uma pergunta, pode ser um tipo de foto. O que importa é que a trend é um conteúdo que viraliza, que se espalha em uma velocidade incontrolável. Muitos já sentem as trends como uma força natural da exposição às redes; quando nos damos conta, já estamos postando, seguindo as últimas formas viralizadas de construir postagens. A trend é uma força que nos leva, como uma correnteza que passa e coloca todos numa mesma direção.

A ansiedade é como uma trend: tem a característica de contagiar o seu entorno. Uma pessoa ansiosa tem a capacidade de transmitir aquela ansiedade para os que estão no mesmo ambiente que ela. É como quando jogamos uma pedra no meio de um rio: ela forma círculos concêntricos, que vão espalhando o efeito do contato da pedra com a água por diâmetros cada vez maiores. A pedra que cai no meio do rio, que uso aqui como metáfora, pode ser qualquer manifestação ansiosa que seja sentida pelas outras pessoas e que se sintam tocadas por ela. Quando um adolescente chega à escola muito preocupado com a prova que virá a seguir, colocando suas impressões sobre o que possa acontecer de pior, pode influenciar os demais, inclusive aqueles que estavam se sentindo tranquilos com a avaliação. Quando uma criança pede ajuda por estar com medo de um fantasma à noite, pode fazer o irmão ficar em alerta e com o mesmo receio de ser engolido pelo bicho-papão.

Nós, humanos, somos capazes de reconhecer as emoções de quem nos cerca e a partir desse reconhecimento conseguimos, ainda que sem perceber, "imitá-las". Esse tipo de imitação das emoções alheias é o que chamamos de contágio emocional. Não sei se você já viu um berçário de uma creche. Ali, quando um bebê chora, há um efeito desse tipo, e em pouco tempo muitos estão chorando inconsolavelmente, por efeito desse contágio. Esse aspecto da nossa humanidade, inclusive, é o que favorece que sejamos empáticos, que é o fundamento das relações sociais mais colaborativas e menos competitivas. Aliás, podemos resgatar a mímica das emoções – por exemplo, os adolescentes são experts nisso, e em pouco tempo são contagiados em grupo pelas formas mais diversas de se expressarem, dos gestos às palavras e às emoções.

<<<<

Nós, humanos, somos capazes de reconhecer as emoções de quem nos cerca e a partir desse reconhecimento conseguimos, ainda que sem perceber, "imitá-las". Esse tipo de imitação das emoções alheias é o que chamamos de contágio emocional.

>>>>

Se pudermos viver o contágio da ansiedade, esse é mais um fator que nos instiga a pensar esse aspecto da vida como algo coletivo. Uma pessoa começa a se sentir mal, e pode ser que sua inclinação natural para pedir ajuda contagie o seu entorno. Vivemos o século do individualismo, em que somos convidados a todo momento a lidarmos sozinhos com nossos problemas, com nossas metas, com nossas angústias, com as tarefas existenciais de cuidar do corpo, da saúde mental, dos impulsos mais descontrolados. O pensamento é sempre o de autorregulação, e não de corregulação. É como se o mundo dissesse à pessoa ansiosa: "então não me conte seus problemas", como canta a música baiana. O problema é que, caso tomemos essa atitude, desconsideramos justamente o potencial de melhoria que existe na conectividade humana. Juntos, sentindo-nos escutados e cuidados mutuamente, podemos mais com os sintomas ansiosos – mesmo que parte dessa experiência seja mesmo um tanto de contágio ansioso entre as pessoas. Nada que a palavra não possa mediar: conversar abertamente sobre as ansiedades, com honestidade e curiosidade, promove bem-estar e é parte dos desejos mais compartilhados de bem viver.

É importante distinguir contágio de perigo. A ansiedade não é uma emoção perigosa. Ela não coloca a vida em risco. O que ela provoca é desagradável, rouba alguns momentos presentes preciosos, atravessa a pista do sossego sem aviso prévio, mas ela não oferece risco: tudo o que ela nos faz é, de uma maneira catastrófica, dar algum formato à incerteza. É como se estivéssemos

<<<<

É importante distinguir contágio de perigo. A ansiedade não é uma emoção perigosa. O que ela provoca é desagradável, mas ela não oferece risco: tudo o que ela nos faz é, de uma maneira catastrófica, dar algum formato à incerteza.

>>>>

nos dizendo: "Melhor ter certeza de que algo péssimo vai acontecer e se preparar para isso desde já do que ficar lidando com o que jamais poderá ser garantido". Mas essa troca é inócua: não conseguimos tranquilidade nessa falsa certeza, nem ganhamos musculatura emocional para lidar com o que não se pode assegurar. Sendo uma emoção desagradável e de risco habitual, podemos inventar formas de lidar com ela sem obedecer à pressa que ela evoca como mandato sempre que se apresenta.

Entre pulmões com pouco ar, entendemos que a ansiedade é uma espécie de fake news que, mesmo sendo falsa, é sentida como se verdadeira fosse. Aos poucos, vamos percebendo que nada de gravíssimo acontece enquanto ela teima em nos garantir que o pior chegará aos nossos dias com o imprevisível futuro.

<<<<

Não conseguimos tranquilidade na falsa certeza, nem ganhamos musculatura emocional para lidar com o que não se pode assegurar.

>>>>

16.
Eu tenho a tendência de julgar a ansiedade de quem é diferente de mim?

ENTRE NÓS, IMERSOS NUMA SOCIEDADE PRECONCEItuosa, acontece um fenômeno interessante: a desejabilidade social, que é o mesmo que responder o que supostamente seria de bom-tom ser dito em uma determinada circunstância. Assim, as pesquisas que no Brasil começam com "você é racista?" têm um percentual enorme de pessoas que o negam ser, mas que respondem com a mesma veemência que sim, vivemos em um país racista. Com uma mão, nos retiramos do grupo dos racistas; com a outra, desenhamos um país inteiro nesse panorama, exceto nós e poucos outros. O interessante é que esse tipo de resposta aparece mesmo em pesquisas eticamente bem estruturadas, que garantem a confidencialidade das respostas e o anonimato dos respondentes. A questão não é somente expor ao outro o meu preconceito, mas também a mim mesmo. A maior dor é atribuir a mim mesmo uma palavra que revela uma parte pouco nobre de minha condição humana.

Com a ansiedade, o fenômeno não é diferente. Somos um mundo de ansiosos, como temos falado aqui neste livro. Nenhum de nós escapa a essa verdade inconveniente, de sermos muito mais agitados e vulneráveis às nossas fantasias de futuros sombrios do que imaginávamos. Há um funcionamento social que promove a sobrecarga, o sentimento de estarmos sempre em débito, a vontade de fazer mais e mais para provar que somos merecedores do pódio do reconhecimento. A rigor, se todos estivermos no mesmo modo de funcionamento, deveríamos ter desenvolvido bastante empatia e compaixão com essa característica tão comum.

Só que podemos ter um funcionamento estranho a princípio, mas demasiadamente comum: podemos fazer do outro, que parece "muito pior do que eu", um bode expiatório. Assim, deixo de olhar para minha ansiedade e passo a julgar a ansiedade do outro, porque, afinal, ele poderia estar muito mais controlado, muito menos frágil do que se apresenta diante do seu sintoma. Todo preconceito é uma hierarquia: desenhamos socialmente um padrão-ouro de existência e degradamos as demais, reduzindo suas possibilidades de reconhecimento, legitimidade, alcance e existência. Assim, uma pessoa pode dizer: "Sou um pouco ansioso, sim, mas tenho muita responsabilidade com minha saúde! Faço ioga, pilates e acupuntura e como de um jeito saudável". Assim, eu passo a ser um empreendedor da minha própria saúde mental e julgo todos os demais que não se encaixam nesse funcionamento produtivo adequado e desejável socialmente. Quando eu posto numa rede social e recebo muitos likes, então isso se transforma em uma certeza quase inabalável: o outro pode mais se ele se espelhar em mim.

Vale a pena sairmos, todos juntos, dessa armadilha narcísica. Nem eu, nem você, nem ninguém, estamos nesse padrão-ouro de existência ou de cuidado com a saúde. A vida no século XXI é uma correria desenfreada, e é também cansativo buscar um meio de lidar com os efeitos dessa forma de viver. Somos testados o tempo todo, como se nunca fôssemos suficientes, como se nossa existência estivesse sempre à prova. Eleve essa sensação à máxima potência se você for uma mulher, uma pessoa trans, uma pessoa negra, uma pessoa com deficiência. Cada uma dessas camadas vai desenhando mais e mais obstáculos ao reconhecimento de si, ou seja: há pessoas mais sujeitas a um tipo de desqualificação e de invisibilidade social que faz com que elas, muito mais facilmente, se sintam desencontradas de seu melhor funcionamento emocional. Nós, o mundo à volta dessas pessoas, somos coconstrutores da ansiedade que elas sentem. Está na hora de abraçarmos essas ansiedades também – porque, afinal, toda ansiedade merece um abraço.

Reflita sobre como você percebe as ansiedades alheias. Acredite, a vida dessas pessoas pode sofrer muito mais pressão de desempenho do que a sua. Essas pessoas podem se sentir muito mais postas à prova. Elas fazem parte de grupos sociais cujas vidas não têm sequer garantia de existência pacífica nesta sociedade. Um dia estive conversando com uma liderança indígena, de uma etnia do Sudeste brasileiro, que me revelou: "Por mais que tenhamos uma espiritualidade que nos proteja e que nos dê muita força, somos sufocados o tempo inteiro com o medo de não podermos mais existir. Tomar nossa terra, por exemplo, é uma forma de a nossa vida deixar de existir. Nós e a terra somos parte um do outro, nós somos a terra. Há alguns jovens aqui que desenvolveram sintomas fortíssimos de ansiedade, porque querem pensar num futuro, mas têm medo de ir para o mundo e serem mortos".

Esse é um relato doído, real e honesto, muito representativo do que estou abordando aqui: a sua ansiedade está sustentada no tipo de vida que você leva, na história de vida que você teve até aqui e nas perspectivas de futuro que você sente que se apresentam com mais probabilidade para você. Todos sabemos que vamos morrer e nos angustiamos com isso; queremos fazer um projeto de vida que tenha sentido e que nos acolha em nossos desejos, mas pessoas como esses indígenas estão a todo momento se confrontando com a ansiedade de temer a morte, que vem de um problema social que nada tem a ver com a ansiedade normal diante da finitude.

Eu te convido a perceber, cada vez mais, o quanto a ansiedade é uma metáfora perfeita da nossa desigualdade. Ela é diferente e mora nos corpos brasileiros de formas mais brandas ou mais intensas, dependendo do tipo de reconhecimento social que essas vidas têm

<<<<

A sua ansiedade
está sustentada
no tipo de vida que
você leva, na história
de vida que você
teve até aqui e nas
perspectivas de futuro
que você sente que
se apresentam com
mais probabilidade
para você.

>>>>

entre nós. Por isso, podemos ser abraço nessas vidas, podemos ser chão para construir uma cultura que realmente reconheça a existência daquelas pessoas que se sentem invisibilizadas entre nós. Esse é um movimento ao mesmo tempo individual e coletivo, que pode começar em sua família, na sua roda de amigos, no grupo da sala de aula de seus filhos, na vizinhança, entre os colegas de trabalho. Quais são as pessoas que você percebe mais ansiosas ali? Que características de identidade social (raça, classe social, gênero, religião etc.) essas pessoas trazem? Que relação você pode fazer entre essas características e a ansiedade de existir neste país? E, sobretudo, quando estiver com elas, o que você pode fazer para reconhecê-las de uma forma mais marcante?

Essa conversa é de todos, porque somos corresponsáveis pela construção de um país mais justo na condição básica do direito à vida. Você pode não perceber, mas um simples gesto seu pode significar uma emoção nada ansiosa em alguém que está mais acostumado a ser desconsiderado. O reconhecimento é uma forma de amar poderosa. Todos nós somos merecedores desse amor – e está disponível em nós a capacidade de ofertá-lo genuína e cotidianamente às pessoas que fazem parte de qualquer pedaço do nosso mundo.

<<<<

Você pode não perceber, mas um simples gesto seu pode significar uma emoção nada ansiosa em alguém que está mais acostumado a ser desconsiderado. O reconhecimento é uma forma de amar poderosa.

>>>>

**17.
Quando a
ansiedade
vira pânico**

PODE SER QUE, ATÉ AQUI, AS PÁGINAS DESTE LIVRO TEnham descrito apenas uma parcela dos fenômenos ansiosos com que você precisa lidar diariamente. Você se sente afetado, sim, pela ansiedade dita "normal", que incomoda, que faz tremer, tensionar, suar, inquietar, pensar o pior. Às vezes, pode até tangenciar um medo deveras humano: o medo de enlouquecer. Até aqui, porém, falamos da ansiedade que gera desconforto, mas que não impede o movimento da vida de acontecer. Tudo continua acontecendo, ainda que interrompido por esses momentos mais desagradáveis. A qualidade de vida pode melhorar, e você não sente que a vida está dominada pela ansiedade.

Infelizmente, porém, existem algumas situações que fogem a esse espectro desenhado nos capítulos anteriores. Em alguns momentos, você pode sentir que não há mesmo saída: o corpo inteiro parece padecer de uma evolução rápida de sintomas (pense em dez minutos, no máximo) que se assemelham a um ataque cardíaco. O medo da morte vem, imediatamente, e ele aparece não somente porque os sintomas vão escalando e criando essa sensação, mas também porque não há aviso prévio, não há nenhuma causa aparente que sirva de "gatilho" que leve você a disparar o funcionamento ansioso em grau máximo. Você pode até tentar fazer analogias com alguns elementos da vida, mas eu te relembro: isso pode ser uma ilusão, uma tentativa de controlar tudo. Não é esse o melhor caminho, porque aqui você está tendo uma crise de pânico.

Não há movimento, apenas paralisia. Não há futuro catastrófico; ele está presentificado no aqui e no agora, no corpo inteiro parecendo explodir. Enquanto a ansiedade estava apontada para o futuro, pelo menos ainda existia o risco de a previsão não ser tão certeira. Agora, o futuro simplesmente é. O que é mais desolador: por não ser previsível quando ele pode acontecer, então o pânico gera o medo de ter medo.

Nesses casos, estamos diante de outro fenômeno, muito mais agudo que a ansiedade normal. Não há meio de comparar uma experiência com a outra. No pânico, durante a crise, tudo de que a pessoa mais precisa é de auxílio imediato. Nesse momento, as medicações podem ajudar consideravelmente. Para tanto, é necessário pedir auxílio a um médico psiquiatra que possa escutar sua história e o que você sente e, assim, definir uma linha de tratamento farmacológico. Aqui, no entanto, muita gente se perde: sente uma melhora

<<<<

Enquanto
a ansiedade
estava apontada
para o futuro, pelo
menos ainda existia
o risco de a previsão
não ser tão certeira.
Agora, o futuro
simplesmente é.

>>>>

significativa com a medicação e não procura o auxílio de uma boa terapia (que pode ser individual ou em grupo, em qualquer abordagem, ou "linha", como nós psicólogos dizemos, que é o método de trabalho de cada um; importe-se apenas com a confiança que você sente na ou no profissional). A terapia pela palavra é uma excelente ferramenta para você tratar todo esse incômodo.

No fundo, o pânico está revelando uma necessidade de cuidar de suas sensações mais profundas de desamparo. Somos todos seres de desamparo, em cujas histórias vivemos cenas que revelam essa sensação de estarmos sós, sem proteção diante das agruras da vida. O bom tratamento dessas crises de pânico inclui medicação aliada à psicoterapia.

Quando estiver acontecendo uma crise de pânico ao seu lado, lembre-se: nada é exagero. A pessoa está sentindo que vai morrer. Essa é a percepção dela sobre o que ela vive no próprio corpo. Não cabe a ninguém julgar a maneira como alguém sente uma crise de pânico. Não minimize, não diga que é mimimi, não deixe frases de efeito como cards de rede social saírem da sua boca, como se fosse fácil sair de uma crise dessas. Você não tem como garantir que nada acontecerá. Se você for impositivo ou autoritário, a situação só vai piorar. O que você pode fazer é estar presente, e de forma delicada: olhos nos olhos, ofereça sua respiração como amparo, ajude a pessoa a respirar profundamente algumas vezes.

A ansiedade não é perigosa. Você pode ficar ali por meia hora e amparar aquela pessoa? Para você pode ser pouco, mas, para quem a vive, é uma eternidade com

<<<<

No fundo, o pânico
está revelando
uma necessidade
de cuidar de suas
sensações mais
profundas de
desamparo.

>>>>

tintas de purgatório. Esteja ali, ao lado, da maneira mais confiante que puder; cuide, portanto, da sua respiração também; lembre-se de que o contágio emocional pode aumentar a sua ansiedade. Pergunte para a pessoa que coisas costumam acalmá-la; se estiver com o celular na mão, toque uma música calma do gosto dela. E todo esse cuidado é mais bem conduzido quanto mais protegido for o ambiente; defenda o direito da pessoa de não se sentir exposta durante a crise. Mude-a de ambiente, leve-a para um lugar em que haja menos gente curiosa ou passível de olhares julgadores.

O pânico é uma experiência terrível mesmo, não pelo risco real, mas pela chegada abrupta e pela avalanche de sensações que provoca. O pânico merece um abraço, mas um abraço mais demorado, e que não significa necessariamente braços atravessando as costas. O abraço na ansiedade que vira pânico é a companhia, a gentileza de pausar um pedaço da nossa vida acelerada para dar atenção a um tipo de sofrimento que é uma das maiores ilustrações de como adoecemos em nosso século.

Adoecemos de ansiedade, mas também adoecemos de solidão, de medo de julgamento, de medo de exclusão, de medo de sermos considerados loucos. Acompanhar uma pessoa em crise é ofertar o melhor que temos, e é muito simples: a solidariedade, o corpo em estado de funcionamento não colapsado, a respiração que pode servir de inspiração para o outro pulmão ganhar mais ar.

Podemos ser muito efetivos para uma pessoa em crise de ansiedade, e isso é parte do mundo que vale a pena ser construído. O pânico paralisa, imobiliza, catatoniza, e é um sintoma que isola, em uma sociedade individualista. Um dos antídotos mais eficazes, baratos e abundantes é a certeza de que, até nos momentos mais drásticos, podemos contar com alguém ao nosso lado. Ali, naquele instante tão horrendo, pode nascer uma flor no meio do lodo. Ali, em meio ao caos, podem ser construídas memórias de rara beleza. Encontrar o outro em seu pior é um aprendizado profundo de humanidade e compaixão, que amplia a consciência sobre o bem viver. É como se a pessoa cuidadora dissesse à ansiosa: "Se eu tivesse mais alma pra dar, eu daria". Quem me ensinou isso foi Djavan: isso, pra mim, é viver.

18.
Por um manifesto
do prazer

ESTAMOS VIVENDO TEMPOS ESTRANHOS: COBRAM DE nós que estejamos sempre em dia com tudo – o que significa correr, correr, correr, para dar conta de milhões de atribuições nas mesmas 24 horas em que antes havia muito menos papéis sociais. E, ao mesmo tempo, não temos espaço para dizer a este mundo que nos cobra tanto: "Estou ansioso! Tenho medo de não conseguir! Tenho medo de fracassar! Tenho medo da minha vida dar muito errado!". Quando bradamos esse tipo de frase, é mais fácil escutar "foque no resultado", "vai passar", "fé em Deus", "a vida é assim mesmo, fazer o quê?", do que pensarmos juntos uma forma de alterar esse desequilíbrio de forças pressionadoras do humano.

Tudo o que fazemos hoje está medido em metas. Essa métrica pode ser sentida de forma positiva, por sua capacidade de organizar rotinas, processos e caminhos a serem seguidos. No entanto, operar sempre nesse registro está deixando um rastro amargo de distorção: é como se vivêssemos menos, é como se a vida perdesse um pedaço do seu sentido quando não atingimos essas metas. Assim, não posso ir à praia se não tiver um "corpo de praia", o que em nossa cultura preconceituosa contra corpos gordos quer dizer não ter excesso de peso para desfilar na areia o chamado corpo perfeito. Seguindo a mesma lógica, não posso estar num determinado jantar se não estiver sorridente, seguindo a métrica do humor positivo e motivante. Não posso habitar o mundo do trabalho considerando meu sofrimento ansioso e preciso escondê-lo sob pena de ser visto como menor, mais frágil e menos apto àquele ofício. Não posso postar na rede social se eu não tiver uma determinada imagem de sucesso. Não posso, não posso, não posso... se, se, se. Veja a quantidade de impedimentos à minha vida cotidiana, ao que é possível e que se afasta do ideal.

A ansiedade mora nessas frestas banais. Ela carcome a paz de espírito quando temos que deixar de ser para passar a ser uma performance ideal. Não somos, não seremos, não podemos reduzir a existência a essas métricas infindas. Somos muito mais do que esse projeto de escalas, medições, pontos acima ou abaixo das curvas. Há beleza na imperfeição: nela, ganhamos textura real. A imperfeição é a amostra da nossa impressão digital – única, inesquecível. Ao sermos imperfeitos, trazemos junto do que não é ideal o desejo de habitar o dia de forma diferente. A imperfeição é uma das molas da vida, que deve poder continuar existindo.

<<<<

Somos muito mais
do que esse projeto
de escalas, medições,
pontos acima ou
abaixo das curvas.
Há beleza na
imperfeição:
nela, ganhamos
textura real.

>>>>

Se estivermos no perfeccionismo, que não dá espaço para existir o erro, ou que tem como meta a sua extinção impossível, caímos de novo na mesma armadilha.

Olhe para o mundo à sua volta: ele o permite ser você? Ele exige que você se adapte demais a um formato inatingível de pessoa? Você se sente em débito com este mundo sempre que está do lado de fora de casa? O que merece ser alterado aí nessa sua relação com este mundo?

A ansiedade é o avesso do prazer. A ansiedade não deixa dormir; o prazer relaxa e traz o sono como próximo capítulo. A ansiedade não deixa sorrir. O prazer é gargalhante. A ansiedade não deixa tempo para a pausa. O prazer quer um tempo só para ele na rede, como um dia de domingo (pensar nessa expressão me trouxe um prazer imediato, que me gerou um riso frouxo e um suspiro: imaginar Gal Costa e Tim Maia cantando essa música por aí, onde quer que estejam...).

Para acalmar minimamente a ansiedade, precisamos deixar o prazer entrar. Não importa quão dura esteja a vida, há algum espaço para qualquer tipo de prazer acessível: uma brincadeira, um abraço, uma boa conversa, beijo na boca, sexo, dança, filme, novela, livro, esporte, xadrez, tricô. Há prazeres esquecidos nas prateleiras empoeiradas de nós, cujo nome é "tempo não útil". A vida não é útil, o tempo todo não precisa ser útil. Nos dias úteis pode haver espaço para aquilo que o prazer decreta não ser útil, não ser métrica, não ser objetivo, meta, foco. Precisamos voltar ao tempo de simplesmente aproveitar a vida, um pouco, até a próxima tarefa ter

Para acalmar minimamente a ansiedade, precisamos deixar o prazer entrar. Não importa quão dura esteja a vida, há algum espaço para qualquer tipo de prazer acessível. Há prazeres esquecidos nas prateleiras empoeiradas de nós.

que invariavelmente acontecer, ou mesmo adiando-a, sob pena de não gargalharmos aquele sorriso que é ainda mais urgente.

O Carnaval é uma festa limitada a alguns dias, em que cultuamos a expressão deliciosa do prazer. Ali, vale o que for a sua fantasia – inclusive a fantasia-roupa, porque a ideia de fantasia é muito mais ampla, comporta desejos inconfessáveis que não encontram espaço para existir no cotidiano "normal". A ansiedade pede pequenos carnavais que invadam o dia, como um bloco surpreendente. Esse carnaval pode durar segundos, inclusive, mas tem a capacidade de distensionar as ansiedades.

Meditação, ioga, pilates e tudo o que tradicionalmente se receita para a ansiedade criam o mesmo efeito, mas estou aqui defendendo que há carnavais à espera de serem realizados por você em qualquer dia. Ouse um pouco mais, tire sua fantasia do fundo da prateleira do tempo útil. Faça acontecer uma dança no meio da sala (quem fez isso no meio da pandemia e foi ótimo?), deixe entrar mais luz onde há penumbra. A ansiedade nos esconde num quarto escuro, e ali não é uma prisão existencial definitiva. O mundo está às avessas e assim foi feito para produzir essa ansiedade em escala industrial. Há muitos movimentos humanos coletivos questionando essa sentença de vida profundamente ansiosa, e que pode perder aos poucos o sentido de ser.

Procure gente que sinta esse mesmo incômodo, que queira repensar a vida em padrões semelhantes aos seus. A ansiedade vai continuar sendo padrão fabricado também por essa cultura, mas sempre haverá alternativas que podemos construir a essa força que nos leva para o abismo de nós. O prazer não pode ser aprisionado na lógica da ansiedade; recebemos o tempo inteiro convites para performar o prazer em scripts rápidos. Isso é a distorção da natureza própria do prazer: ele é uma produção da alma, de dentro, do tempo da delicadeza.

Pode ser muito difícil sair desse funcionamento – estou aqui concordando com você e te dando as mãos neste momento. Pedir ajuda para sair desse funcionamento ansioso é humano, indicado e muito necessário. A vida nova, a vida cada vez mais autêntica, está sempre prestes a estrear. O abraço que você merece para a sua ansiedade pode estar ali, atrás dessa porta. No momento mais inesperado. E que pode acontecer a partir de um aceno seu. Se escutar alguém batendo à porta, não se surpreenda: é você. Você está dentro do quarto escuro, ao mesmo tempo que outra parte sua está batendo à porta, naquela sua atitude sábia de dizer a si mesmo as palavras que precisam ser ditas, sentir o que merece ser sentido, fazer o que precisa ser feito, para deixar o ar novo entrar...

Porque todo este livro foi escrito para te dizer uma só frase: a ansiedade pode querer te impor a certeza de um fim, mas você tem a capacidade de convidá-la a ser um começo. Quando a ansiedade se transforma em um começo, a jornada que se segue é a da insistência em fazer da vida um lugar autêntico. E a autenticidade é, talvez, a casa onde repousa o sentido maior de existir.

>>>>

A ansiedade pode
querer te impor
a certeza de um
fim, mas você tem
a capacidade de
convidá-la a ser um
começo.

<<<<

Palavras nada ansiosas para terminar esta conversa (ou aquilo que poderia se chamar de "epílogo")

Ao longo das páginas que se encerram em breve, estivemos sentados na varanda conversando sobre impressões a respeito de como a ansiedade pode se manifestar, sobretudo neste tempo estranho que a coloca numa espécie de altar supremo. O desejo das minhas palavras aqui sempre foi o de te apoiar na nomeação de alguns fenômenos que talvez tenham sido vividos sem o tempo suficiente para parar, escutar-se e palavrear o que tinha acabado de acontecer. Eu também sou fruto desta época e muitas vezes me atropelo e renego tempo e espaço para essa necessidade tão salutar. Há muito mais gente que se vê em tamanho estado ansioso crônico que não consegue imaginar uma vida distante daqueles apavoramentos.

No Brasil, qualquer adoecimento tem seu nível de impacto na pessoa de acordo com o lugar que ela ocupa na sociedade. Há ansiedades específicas das mulheres ("será que vou ser demitida depois da licença-maternidade, que é um direito meu, mas que pode ser visto pela empresa como um privilégio que não justifica minha empregabilidade?"). As mulheres pretas se sentem infinitas vezes mais ansiosas que a maioria da população ("mais uma vez uma pessoa branca se surpreendeu por eu ser uma intelectual; será que sofrerei racismo na sala de aula em que entrarei agora?"). As mães pretas vivem sustos a cada notícia de blitz ou abordagem policial com seus filhos ("ele voltará bem e íntegro para casa?"). Os indígenas precisam lutar, há séculos, para garantir o que lhes é de direito inalienável: a existência e a terra, que são sinônimos para suas culturas ("como poderei continuar vivendo se me impedirem de viver no único lugar em que sinto que posso ser eu mesmo?"). Todas as pessoas trans temem sofrer transfobia na próxima esquina ("como conseguirei conviver por tanto tempo com gente que não aceita a minha existência?"). E assim por diante: cada camada de identidade a mais representa mais motivos específicos para se sentir em um estado mais significativo de ansiedade. Quanto mais a pessoa pertencer a grupos sociais que sofrem com a invisibilidade, com o preconceito e com a desqualificação, mais estará em risco.

O abraço merecido a toda ansiedade é um desejo para você, que se vê como qualquer uma dessas pessoas e se sente muito vulnerável para viver cenas ansiogênicas. Penso que o abraço é uma metáfora que todos conseguem entender, que nenhuma alma humana precisa de memória cognitiva para acessar, e que todo corpo vivo sente como alicerce para sua saúde. Abraçar a ansiedade alheia é compreender, mais a fundo, quais são as dores que cada pessoa à nossa volta experimenta em sua forma de vida particular. É um esforço consciente de sair da bolha da nossa vida sem tempo e parar por alguns segundos não somente para respirar para si, mas também para o encontro.

Eu desejo que possamos ser uma sociedade que não faz uma pausa somente com o objetivo de organizar-se individualmente, mas sim para compartilhar o desejo de sair dos incômodos ansiosos em abraços com muita gente. É tempo de desacreditar na mentira do sucesso individualista. É tempo de entender o quanto estamos afastados dos vínculos que podem nos fortalecer para um genuíno tempo de bem viver. É hora de desligar tudo o que nos isola e de reconectar o olhar úmido e a boca com palavras para dizer: "Eu preciso te contar o que sinto e também quero escutar de você como você se sente". Ninguém precisa deixar de ser ansioso para escutar outra pessoa ansiosa. Ninguém precisa ter a saída perfeita para o caos da vida para dialogar com amigos, familiares ou colegas de trabalho sobre possíveis alternativas para melhorar a qualidade de vida.

O abraço que a ansiedade merece não é um sonho distante. Ele é uma possibilidade concreta, acessível ao aqui e ao agora. Para esse abraço, basta que comecemos um a um, tijolo por tijolo, aos poucos, abrindo o coração com quem pode compreender o que vivemos por trás das máscaras sociais.

Se a ansiedade é um balão de angústia, esvaziá-lo é conversar e receber afeto, é reconhecer e ser reconhecido. Procure gente ao seu lado, que pode nem ser tão próxima, mas que você percebe que tem a capacidade de te entender. Pode ser inclusive alguém que você acredite ser ainda mais ansioso do que você. Pode ser que essa pessoa tenha um jeito muito diferente de construir saídas para esses momentos inquietantes. Pode ser o garçom que deixa a bandeja cair, e você pode ajudá-lo a catar os cacos do chão depois de um belo abraço de "calma, foi um acidente, você não está só". Pode ser a pessoa preta que se sente insegura de existir num mundo racista e que está ansiosa por entrar num ambiente em que ela é a única negra entre dezenas de pessoas brancas. Pode ser o estudante na véspera da prova, pode ser o espectador na hora do jogo, pode ser o parceiro na hora do sexo. Em todos os momentos haverá gente para ser notada, percebida, acolhida. Os instantes existem para recomeçar a roda do tempo. E o tempo nunca desiste de nós, já que segue sua sina de abrir novas portas em vidas que, de tão cansadas, as veem com cadeados imaginários e eternizados pela dor.

A cultura não findará suas cobranças por produtividade, sucesso, competitividade e status. Continuaremos a ser espremidos no tempo por pressões injustas e tantas vezes cruéis. A saída não está somente no autocuidado individual, que é sempre ótimo, porque é também um tempo de pausa que já é contrário a toda essa força aceleradora. Precisamos cuidar uns dos outros.

O abraço merecido na ansiedade é filho da delicadeza. Eu sou um ativista pela delicadeza humana. Eu desejo que a sua vida possa ter espaços de abraço, delicadeza e coletividade. E que haja tantos abraços na sua vida que façam a ansiedade encolher um pouco, envergonhada por tamanha beleza. Não desista: eu desejo que você possa insistir em você como o tempo insiste em nós.

Com amor,
Xande

Agradecimentos

Este foi o livro mais difícil de escrever até agora. Eu precisei de muitos abraços, porque me convidei para escrever de um modo que pudesse ser, ao mesmo tempo, acolhedor e útil, informativo e terapêutico, com um formato que atendesse ao perfil de uma pessoa ansiosa por entender melhor a si e ao mundo ansiogênico que a cerca. Durante os meses em que estive imerso em leituras, estudos, diálogos e escrita, recebi tudo de que eu precisava e, por isso, este livro pode agora ser lido por você.

Agradeço à Dany, minha companheira da vida toda, que me disse numa noite fria de verão, no sofá de nossa casa, as melhores palavras. Naquele diálogo eu entendi muito do que queria escrever, um tanto do que precisava mudar e a força que o nosso encontro tem sobre tudo o que sou e faço.

Ao Marcio Krauss, um amigo recente, um abraço que eu recebi, ofegante, ao chegar de um engarrafamento para uma palestra em que ele foi o mediador. Ele me recebeu sorrindo com os olhos, deixando tudo mais fácil para o começo que se mostraria aparentemente atribulado. Depois dali, quis trazê-lo para perto, e ficamos amigos. Em muito pouco tempo, já nos sentíamos confidentes e íntimos, e ele pôde trazer para este livro uma leitura aguçada e profundamente certeira. Eu agradeço a sua entrega a esse momento, Marcio, e tudo o que você sugeriu que eu acrescentasse ao livro está aqui. Estas páginas se inspiraram em sua inteligência, em sua aguda percepção do mundo, em sua filosofia do cotidiano, em sua habilidade docente. Obrigado por ter aceito escrever o prefácio do livro, que me comoveu tanto.

À Mônica Ribeiro, minha empresária, amiga do tipo que entende quem sou e me expande. Mônica tem essa capacidade de expandir o outro a partir de seus olhos empáticos e de sua disponibilidade para entregar-se ao encontro. Em inúmeras conversas, foi me dizendo coisas que ela sentia ao se deparar com a intenção da minha escrita – e sempre foi certeira ao apontar caminhos seguros para o texto.

À Elisama Santos, um fenômeno humano, uma força da pulsão da vida. Quando estou perto dela, sinto tudo se movimentar em mim. Assim, sua ajuda não é pontual em nada, mas é esteio em tantos instantes em que ela me aportou com sua gargalhada, com sua amizade e com sua aposta em minhas letras.

À Ana Suy, que leu as primeiras páginas e fez comentários como escritora e colega de profissão. Quando Ana fala, eu me calo. Ela diz com suavidade aquilo que precisa ser dito. Ela sabe encontrar o humano em sua ambivalência e deseja estar ali, ao lado, sem o reduzir a nenhuma de suas metades. Obrigado por aquela conversa e por todos os nossos encontros, Ana. Você é uma das melhores de nós neste país. Que lindo ver a sua literatura ganhando mundos e céus!

À Fernanda Simões Lopes e ao Bernardo Machado, meus editores tão queridos, que me receberam em uma mesa de almoço e outra de café, sempre com o entusiasmo que oxigena, com a palavra precisa que liberta o medo, com a sabedoria do mercado editorial que ajuda a entender os processos que ainda me são muito pouco íntimos. Ao lado de vocês dois, eu sinto que fomos uma equipe que produziu o abraço de que tanto falo aqui. Com vocês ao meu lado, pude sentir que fizemos algo entre nós, apoiando-nos mutuamente, exponenciando a força de cada um. A competência de vocês me trouxe com mais segurança até a escrita da palavra derradeira.

E, finalmente, ao Felipe Brandão, que começou este livro como editor e terminou como alta liderança da Editora Planeta, e nem assim, em meio à transição de papéis e atribulado com tantos afazeres, deixou de imprimir ao encontro a opinião que, exímio editor que é, faz melhorar qualquer projeto. A sua amizade é uma alegria em meu coração. Obrigado por tamanha torcida pela minha literatura e por essa imensa capacidade de imaginar livros para este país!

No fundo, este deveria ser o maior capítulo, porque nele estão contidas as pessoas para quem divulguei a ideia deste livro (alunos, amigos, familiares, colegas de profissão) e que aportaram com acenos, sorrisos, ideias, frases como "estou ansioso pelo seu livro sobre ansiedade" e pequenas comemorações pelo fato de eu continuar minha carreira de escritor. A todas essas pessoas, meu mais profundo agradecimento, porque elas sabem o lugar que ocupam neste coração infinito.

A você que me lê, minha profunda reverência pela tenacidade em lidar com sua ansiedade, em tentar entendê-la como parâmetro inevitável da vida atual e em abraçar esta leitura com a sua impressão digital. Saiba que estas palavras agora pertencem ao seu coração. É nele que elas vão se acomodar, dando espaço para mais histórias suas poderem ser contadas, elaboradas e redesenhadas. Tome estas palavras como o começo de uma conversa consigo e com os outros. Da minha parte, eu prometo mais livros, muito em breve. E que possamos nos reencontrar sempre nestas esquinas de palavras escritas que quiseram encontrar você e suas inquietações. Muito obrigado.

Referências Bibliográficas

ACOSTA, Alberto. **O bem viver**: uma oportunidade para imaginar outros mundos. São Paulo: Elefante, 2016.

AMARANTE, Paulo; PITTA, Ana Maria; OLIVEIRA, Walter. **Patologização e medicalização da vida**: epistemologia e política. São Paulo: Zagodoni, 2018.

BAUMAN, Zygmunt. **Medo líquido**. Rio de Janeiro: Zahar, 2022.

BAUMAN, Zygmunt. **Retrotopia**. Rio de Janeiro: Zahar, 2017.

BECK, Aaron T.; DAVIS, Denise D.; FREEMAN, Arthur. **Terapia cognitiva dos transtornos da personalidade**. Porto Alegre: Artmed, 2017.

BECK, Judith. **Terapia cognitiva**: teoria e prática. Porto Alegre: Artmed, 1997.

BONDER, Nilton. **A alma imoral**: traição e tradição através dos tempos. Rio de Janeiro: Rocco, 1998.

BONDER, Nilton. **Cabala e a arte de apreciação do afeto**: apreciando o desejo, a percepção, a motivação e o vínculo. Rio de Janeiro: Rocco, 2022.

BREWER, Judson. **Desconstruindo a ansiedade**: um guia para superar os maus hábitos que geram agitação, preocupação e medo. Rio de Janeiro: Sextante, 2021.

CAMARATTA ANTON, Iara L. **Vínculos e saúde mental**. Rio de Janeiro: Sinopsys, 2018.

DALGALARRONDO, Paulo. **Psicopatologia e semiologia dos transtornos mentais**. 3. ed. Porto Alegre: Artmed, 2018.

GILLIAN, Seth. **Terapia cognitivo-comportamental**: estratégias para lidar com ansiedade, depressão, raiva, pânico e preocupação. Barueri: Manole, 2021.

GUILLAND, Romilda et al. Prevalência de sintomas de depressão e ansiedade em trabalhadores durante a pandemia da Covid-19. **Trabalho, Educação e Saúde**, Rio de Janeiro, v. 20, 2022.

HAN, Byung-Chul. **Sociedade do cansaço**. Petrópolis: Vozes, 2015.

HAN, Byung-Chul. **Sociedade paliativa**: a dor hoje. Petrópolis: Vozes, 2021.

KRENAK, Ailton. **A vida não é útil**. São Paulo: Companhia das Letras, 2020.

LUDERMIR, Ana Bernarda; MELO FILHO, Djalma. Condições de vida e estrutura ocupacional associadas a transtornos mentais comuns. **Revista de Saúde Pública**, São Paulo, v. 36, n. 2, p. 213-221, 2002.

PAVÓN-CUÉLLAR, David. **Além da psicologia indígena**: concepções mesoamericanas da subjetividade. São Paulo: Perspectiva, 2022.

SAFATLE, Vladimir; JÚNIOR, Nelson da Silva; DUNKER, Christian. **Patologias do social**: arqueologias do sofrimento psíquico. Belo Horizonte: Autêntica, 2018.

SARUDIANSKY, Mercedes. Ansiedad, angustia y neurosis: antecedentes conceptuales e históricos. **Psicología Iberoamericana**, Cidade do México, v. 21, n. 2, p. 19-28, jul.-dez., 2013.

SIERRA, Juan Carlos; ORTEGA, Virgilio; ZUBEIDAT, Ihab. Ansiedad, angustia y estrés: tres conceptos a diferenciar. **Revista Mal-Estar e Subjetividade**, Fortaleza, v. 3, n. 1, p. 10-59, 2003.

STOSSEL, Scott. **Meus tempos de ansiedade**: medo, esperança, terror e a busca da paz de espírito. São Paulo: Companhia das Letras, 2014.

Leia também...

Alexandre é um psicólogo e terapeuta familiar que escreve cartas. Mas aqui, elas se revestem de poesia num encontro da intensidade com a beleza. Os remetentes das cartas são os sentimentos humanos, que chegam para uma conversa honesta e terna sobre como eles cumprem uma jornada viva dentro de cada um de nós.

Abra o livro e leia a carta da saudade, da tristeza, do medo e da esperança, entre outras tantas que certamente encontrarão em você o melhor endereço de destino. Estas cartas dialogam com sua sensibilidade, com sua vontade de se aceitar, de viver uma vida mais autêntica e de construir um mundo melhor à sua volta.

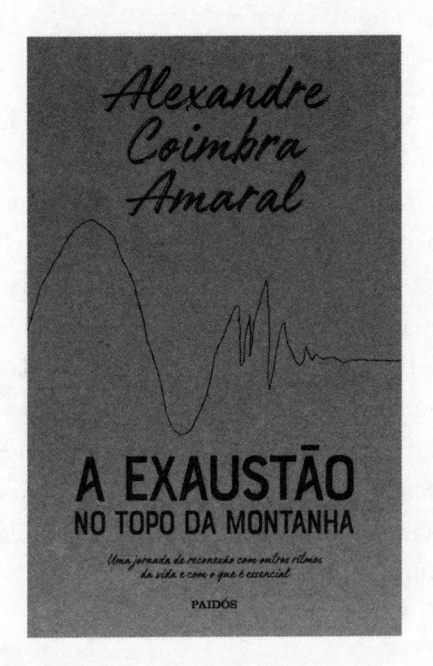

Alexandre Coimbra Amaral

A EXAUSTÃO
NO TOPO DA MONTANHA

Uma jornada de reconexão com outros ritmos da vida e com o que é essencial

PAIDÓS

Alexandre Coimbra é um psicólogo que escreve com a alma na ponta dos dedos. Depois de recebermos cartas dos sentimentos em seu livro de estreia, agora acompanhamos a história da Exaustão, numa jornada íntima de reflexões da sua ação sobre a vida contemporânea.

Afinal, como transformar uma vida exausta?

É possível esperançar um novo panorama, mesmo diante de um fenômeno tão presente em nossos dias?

Leia este livro como um cuidado a você, que está cansada ou cansado de tamanha exaustão. No tom poético e sempre esperançoso com que Alexandre fala das questões mais complexas da condição humana, você se sentirá no amparo e no embalo dos melhores abraços, sobretudo aqueles que parecem desaparecer diante dos cansaços que se acumulam ao longo dos dias.

**CLÁUDIO THEBAS E
ALEXANDRE COIMBRA AMARAL**

De mãos dadas

Um palhaço e um psicólogo
conversam sobre a coragem
de viver o luto e as belezas
que nascem da despedida

PAIDÓS

Trata-se antes de tudo de uma obra sobre o amor, a esperança e sobre a urgência de vivermos plenamente os encontros. O luto não precisa ser vivido de forma solitária. A cada página o leitor se sentirá acolhido pelos autores e terá a oportunidade de participar da jornada de dois amigos escritores que se encontraram literariamente durante o primeiro ano de uma grande ausência. Cláudio perdeu sua mãe, e logo começou a escrever crônicas sobre o luto. Alexandre lhe estendeu as mãos e se propôs a comentar as palavras do amigo. Era o abraço possível em meio à pandemia. Nascia, assim, De mãos dadas, um livro poético, suave, profundo e inclusive divertido em muitos momentos. Juntos, Cláudio Thebas e Alexandre Coimbra Amaral, nos convidam a entender que é possível fazer do luto uma aliança pela vida, que reconheça cada pedaço de memória, cada pinçada de dor e cada possibilidade de futuro.

**Acreditamos
nos livros**

Este livro foi composto em Fairfield LH e New Order
e impresso pela Gráfica Santa Marta para a Editora
Planeta do Brasil em fevereiro de 2025.